NA NATUREZA SELVAGEM

JON KRAKAUER

NA NATUREZA SELVAGEM

Tradução:
PEDRO MAIA SOARES

2ª edição
8ª reimpressão

Companhia Das Letras

Copyright © 1996 by Jon Krakauer
*Publicado mediante acordo com Villard Books, selo da
Random House, uma divisão da Penguin Random House LLC.*

*Grafia atualizada segundo o Acordo Ortográfico da Língua
Portuguesa de 1990, que entrou em vigor no Brasil em 2009.*

Título original:
Into the wild

Capa:
Hélio de Almeida

Foto da capa:
People Weekly
© 1992 by Phil Shofield

Preparação:
Isabel Jorge Cury

Revisão:
*Carmen S. da Costa
Cláudia Cantarin*

Dados Internacionais de Catalogação na Publicação (CIP)
(Câmara Brasileira do Livro, SP, Brasil)

Krakauer, Jon
  Na natureza selvagem / Jon Krakauer ; tradução Pedro Maia Soares. — 2ª ed. — São Paulo : Companhia das Letras, 2018.

  Título original: Into the Wild.
  ISBN 978-85-359-3071-9

  1. Aventuras e aventureiros — Estados Unidos — Biografia 2. McCandless, Christopher Johnson, 1968-1992 3. Viagens de carona — Alasca 4. Viagens de carona — Oeste (U.S.) 5. Vida errante — Alasca 6. Vida errante — Oeste (U.S.) I. Título.

98-2199   CDD-917.98

Índice para catálogo sistemático:
1. Aventureiros desaparecidos : Biografia   917.98

Todos os direitos desta edição reservados à
EDITORA SCHWARCZ S.A.
Rua Bandeira Paulista, 702, cj. 32
04532-002 — São Paulo — SP
Telefone: (11) 3707-3500
www.companhiadasletras.com.br
www.blogdacompanhia.com.br
facebook.com/companhiadasletras
instagram.com/companhiadasletras
twitter.com/cialetras

Para Linda

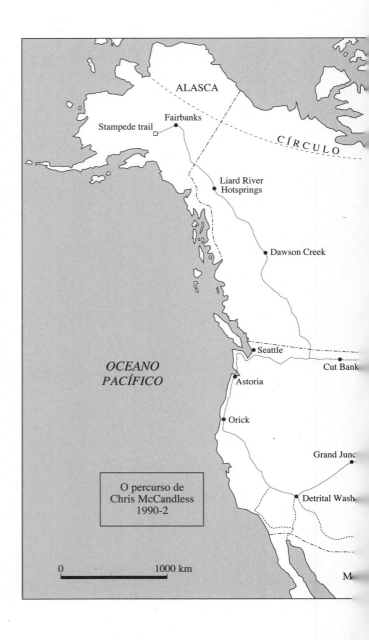

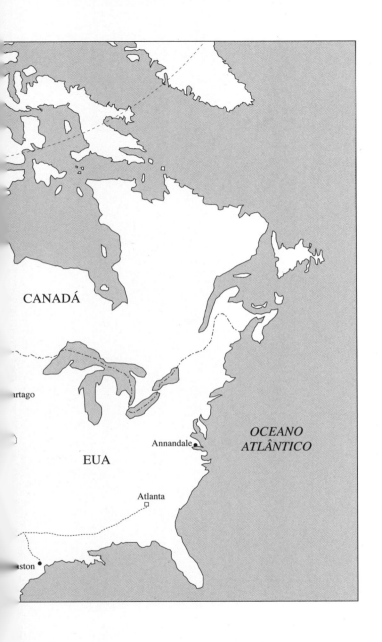

NOTA DO AUTOR

Em abril de 1992, um jovem de uma família abastada da costa leste dos Estados Unidos foi de carona até o Alasca e adentrou sozinho a região selvagem e desabitada ao norte do monte McKinley. Quatro meses depois, seu corpo decomposto foi encontrado por um grupo de caçadores de alce.

Pouco após a descoberta do cadáver, o editor da revista *Outside* pediu-me uma reportagem sobre as circunstâncias enigmáticas da morte do rapaz. Revelou-se que seu nome era Christopher Johnson McCandless. Fiquei sabendo que crescera em um subúrbio rico de Washington, D. C., onde fora excelente aluno e atleta de elite.

No verão de 1990, logo após formar-se, com distinção, na Universidade Emory, McCandless sumiu de vista. Mudou de nome, doou os 24 mil dólares que tinha de poupança a uma instituição de caridade, abandonou seu carro e a maioria de seus pertences, queimou todo o dinheiro que tinha na carteira. Inventou então uma vida nova para si, instalando-se na margem maltrapilha de nossa sociedade, perambulando pela América do Norte em busca de experiências cruas, transcendentes. Sua família não tinha ideia de onde estava ou que fim tivera até que seus restos apareceram no Alasca.

Trabalhando com prazo curto, escrevi um artigo de 9 mil palavras, publicado no número de janeiro de 1993 da revista, mas meu fascínio por McCandless não desapareceu com a substituição daquela edição de *Outside* nas bancas por temas jornalísticos mais atuais. Perseguiam-me a lembrança dos detalhes da morte por inanição do rapaz e certas semelhanças vagas entre acontecimentos de minha vida e da de

Christopher. Disposto a não me afastar de McCandless, passei mais de um ano refazendo a trilha espiralada que conduziu a sua morte na taiga do Alasca, caçando os detalhes de sua peregrinação com um interesse que beirava a obsessão. Ao tentar compreender McCandless, cheguei inevitavelmente a refletir sobre outros temas mais amplos: a atração que as regiões selvagens exercem sobre a imaginação americana, o fascínio que homens jovens com um certo tipo de mentalidade sentem por atividades de alto risco, os laços altamente tensos que existem entre pais e filhos. O resultado dessa investigação cheia de meandros é este livro.

Não tenho pretensão de ser um biógrafo imparcial. A estranha história de McCandless tocou-me pessoalmente de tal forma que tornou impossível um relato desapaixonado da tragédia. Na maior parte do livro tentei — creio que, em larga medida, com sucesso — minimizar minha presença de autor. Mas que o leitor esteja atento: intercalei a história de McCandless com fragmentos de uma narrativa baseada em minha própria juventude. Faço isso na esperança de que minhas experiências iluminem, mesmo de forma indireta, o enigma de Chris McCandless.

Ele era um jovem veemente demais e possuía traços de idealismo obstinado que não combinavam facilmente com a existência moderna. Cativado havia muito tempo pela leitura de Tolstoi, admirava em particular como o grande romancista tinha abandonado uma vida de riqueza e privilégios para vagar entre os miseráveis. Na faculdade, McCandless começou a imitar o ascetismo e o rigor moral de Tolstoi a tal ponto que primeiro espantou, depois alarmou, as pessoas que lhe eram próximas. Quando o rapaz se internou no mato do Alasca, não cultivava ilusões de que estivesse entrando numa terra de leite e mel; perigo, adversidade e despojamento tolstoiano era exatamente o que estava buscando. E foi o que encontrou, em abundância.

Contudo, durante a maior parte das seis semanas de provação, McCandless saiu-se mais do que bem. Com efeito, se não fosse por um ou dois erros aparentemente insignificantes, ele teria saído da floresta em agosto de 1992 de maneira tão anônima quanto entrou nela em abril. Em vez disso, seus erros inocentes acabaram sendo básicos e irreversíveis, seu nome foi parar nas manchetes dos jornais sensacionalistas e, para sua perplexa família, restaram os cacos de um amor ardente e doloroso.

Uma quantidade surpreendente de pessoas sentiu-se afetada pela história da vida e morte de Chris McCandless. Nas semanas e meses posteriores à publicação do artigo na *Outside*, ela gerou mais cartas do que qualquer outra matéria já publicada pela revista. Essa correspondência, como era de esperar, refletia pontos de vista muito divergentes. Alguns leitores admiravam imensamente o rapaz por sua coragem e seus nobres ideais; outros fulminavam que ele era um rematado idiota, um pirado, um narcisista que morreu de arrogância e estupidez — e que não merecia a atenção que a imprensa lhe dera. Minhas convicções ficarão claras logo em seguida, mas deixarei que o leitor forme sua opinião sobre Chris McCandless.

Jon Krakauer
Seattle
Abril de 1995

NA NATUREZA SELVAGEM

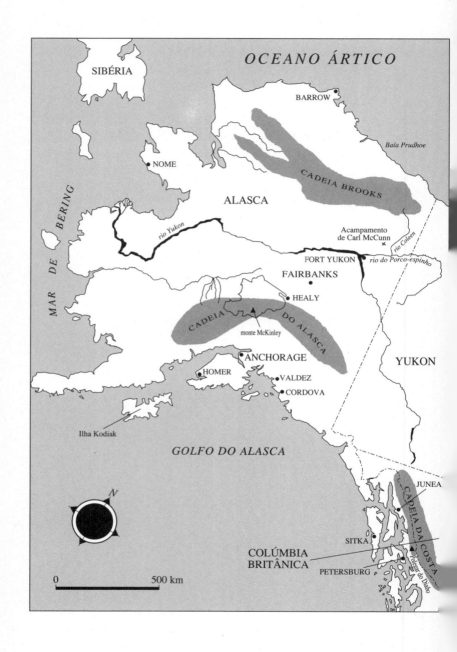

1
O INTERIOR DO ALASCA

27 de abril de 1992
Saudações de Fairbanks! Esta é a última vez que você terá notícias minhas, Wayne. Cheguei aqui há dois dias. Foi muito difícil pegar carona no território de Yukon. Mas finalmente cheguei. Por favor, devolva toda a minha correspondência para os remetentes. Posso demorar muito até voltar para o Sul. Se esta aventura se revelar fatal e você nunca mais tiver notícias de mim, quero que saiba que você é um grande homem. Caminho agora para dentro da natureza selvagem. Alex.

CARTÃO-POSTAL RECEBIDO POR WAYNE WESTERBERG
EM CARTAGO, DAKOTA DO SUL

Jim Gallien estava a dois quilômetros e meio de Fairbanks quando viu o caroneiro de pé na neve, ao lado da estrada, polegar bem alto, tremendo de frio no amanhecer do Alasca. Não parecia ser muito velho: dezoito, talvez dezenove anos, no máximo. A ponta de um rifle projetava-se de sua mochila, mas tinha aparência bastante amistosa: um caroneiro com uma Remington semiautomática não é o tipo de coisa que provoque hesitação nos motoristas daquele estado. Gallien parou sua picape no acostamento e mandou o rapaz subir.

O caroneiro jogou sua mochila no chão do Ford e apresentou-se como Alex. "Alex?", retrucou Gallien, esperando o sobrenome.

"Só Alex", replicou o rapaz, rejeitando claramente a isca. Magro mas rijo, com cerca de um metro e setenta de altura, disse ter 24 anos e ser de Dakota do Sul. Explicou que queria uma carona até o limite do Parque Nacional Denali, onde pretendia caminhar mato adentro e "viver da terra por alguns meses".

Gallien, eletricista sindicalizado, estava a caminho de Anchorage, 380 quilômetros adiante do Denali pela rodovia George Parks, e disse a Alex que o deixaria onde quisesse. A mochila dele não parecia pesar mais do que doze ou treze quilos, o que surpreendeu Gallien — caçador experiente, acostumado às florestas —; pois era um volume muito pequeno para quem pretendia ficar vários meses no mato, especialmente tão no início da primavera. "Ele não estava levando nada da comida e do equipamento que se espera que alguém carregue naquele tipo de viagem", relembra Gallien.

O sol surgiu. Enquanto desciam das cristas reflorestadas acima do rio Tanana, Alex olhava para o terreno pantanoso, coberto de juncos e musgos e varrido pelo vento que se estendia para o sul. Gallien se perguntava se não teria dado carona para um daqueles birutas dos outros 48 estados do Sul que vinham para o Norte realizar as arriscadas fantasias de Jack London. Há muito tempo que o Alasca atrai sonhadores e desajustados, gente que acha que a vastidão imaculada da Última Fronteira irá preencher todos os vazios de sua vida. Porém, o mato é um lugar que não perdoa, que não dá a mínima para a esperança ou o desejo.

"As pessoas de fora", relata Gallien com sua fala arrastada e sonora, "pegam um exemplar da revista *Alaska*, folheiam e ficam pensando: 'Ei, vou para lá, viver da terra, levar uma boa vida'. Mas quando chegam aqui e entram de verdade no mato, bem, aí não é como a revista tinha contado. Os rios são grandes e rápidos. Os mosquitos comem você vivo. Na maioria dos lugares, não há muitos animais para caçar. Viver no mato não é um piquenique."

De Fairbanks até a beira do Parque Denali era uma viagem de duas horas. Quanto mais conversavam, menos Alex parecia maluco. Era agradável e bem-educado. Bombardeou o motorista com perguntas sensatas sobre quais pequenos animais de caça vivem na região, que tipo de frutas silvestres poderia comer — "esse tipo de coisa".

Ainda assim, Gallien estava preocupado. Alex admitiu que o único alimento em sua mochila era um saco de quatro quilos e meio de arroz. Seu equipamento parecia excessivamente insuficiente para as condições duras do interior, que, em abril, ainda está soterrado pela neve do inverno. As botas baratas de Alex não eram impermeáveis nem bem isoladas. Seu rifle era apenas de calibre 22, muito pequeno para quem pensasse em matar animais grandes como alces e caribus, os quais teria de comer se quisesse permanecer muito tempo na região. Não tinha machadinha, protetor contra insetos, raquetes de neve, bússola. O único auxílio de orientação que trazia era um mapa rodoviário estadual todo rasgado que surrupiara de um posto de gasolina.

A 150 quilômetros de Fairbanks, a rodovia começa a subir os contrafortes da cadeia do Alasca. Enquanto o carro atravessava uma ponte sobre o rio Nenana, Alex olhou para a correnteza forte e disse que tinha medo da água: "Há um ano, no México, eu estava numa canoa no mar e quase me afoguei durante uma tempestade".

Um pouco mais tarde, ele pegou seu mapa e apontou para uma linha vermelha que cruzava a estrada perto de Healy, uma cidade de mineração de carvão. Ela representava uma rota chamada Stampede Trail [trilha do Estouro da Boiada]. Raramente percorrida, nem aparece na maioria dos mapas rodoviários do Alasca. Mas no mapa de Alex, a linha pontilhada serpenteava para oeste da rodovia Parks por cerca de sessenta quilômetros até sumir no meio da região selvagem e sem trilhas situada ao norte do monte McKinley. Era para lá que pretendia ir, anunciou Alex.

Gallien achou que o plano do caroneiro era temerário e tentou com insistência dissuadi-lo: "Falei que não era fácil caçar no lugar aonde ele estava indo, que poderia passar dias sem matar animal algum. Quando isso não funcionou, tentei assustá-lo com histórias de ursos. Disse-lhe que uma 22 não faria provavelmente nada a um urso pardo, exceto deixá-lo furioso. Alex não parecia muito preocupado. 'Subo numa árvore', foi tudo o que disse. Então expliquei que as árvores não crescem muito naquela parte do estado, que um urso podia derrubar um abeto fino e pequeno num segundo. Mas ele não recuava um milímetro. Tinha resposta para tudo que joguei em cima dele".

Gallien ofereceu-se para levá-lo até Anchorage, comprar-lhe um equipamento decente e depois trazê-lo de volta até onde quisesse.

"Não, mas de qualquer forma, obrigado", respondeu Alex. "Eu me viro com o que tenho."

Gallien perguntou se ele tinha licença de caça.

"Claro que não", desdenhou Alex. "O jeito como eu me alimento não é da conta do governo. Fodam-se as regras estúpidas deles."

Quando Gallien perguntou se seus pais ou algum amigo sabiam o que pretendia fazer — se havia alguém que acionaria o alarme se ele encontrasse problemas e se atrasasse —, Alex respondeu tranquilamente que não, que ninguém sabia de seus planos, que na verdade não falava com sua família havia quase dois anos. "Tenho certeza absoluta de que não vou encontrar nada que não possa enfrentar sozinho", assegurou a Gallien.

"Simplesmente não tinha como convencer o cara a desistir", lembra Gallien. "Ele estava decidido. Muito entusiasmado mesmo. A palavra que vem à mente é *excitado*. Mal podia esperar para entrar no mato e começar."

A três horas de distância de Fairbanks, Gallien saiu da rodovia e entrou com seu surrado 4 por 4 numa estrada secundária coberta de neve. Nos primeiros quilômetros, a Stampede Trail estava bem nivelada e passava por cabanas espalhadas por bosques de abetos e choupos. Depois dos últimos chalés de madeira, no entanto, a estrada deteriorava-se rapidamente. Descaracterizada e cheia de amieiros, transformava-se numa trilha grosseira, sem manutenção.

No verão, ela seria ruim, mas passável; agora, estava tomada por meio metro de neve mole de primavera. A quinze quilômetros da rodovia, percebendo que ficaria preso se fosse adiante, Gallien parou seu veículo no topo de uma colina baixa. Os cumes gelados da cadeia de montanhas mais alta da América do Norte brilhavam no horizonte sudoeste.

Alex insistiu em dar a Gallien seu relógio, seu pente e o que disse ser todo o seu dinheiro: 85 centavos em moedas. "Não quero seu dinheiro e já tenho relógio", protestou Gallien.

"Se você não ficar com ele, vou jogá-lo fora", replicou alegremente o rapaz. "Não quero saber que horas são. Não quero saber que dia é nem onde estou. Nada disso importa."

Antes que Alex descesse da picape, Gallien pegou atrás do banco um velho par de botas de borracha e persuadiu o rapaz a levá-las. "Eram grandes demais para ele", relembra Gallien. "Mas eu disse: use dois pares de meias e seus pés vão ficar meio quentes e secos."

"Quanto lhe devo?"

"Não se preocupe com isso", respondeu Gallien. Deu então ao rapaz um pedaço de papel com seu telefone, que Alex enfiou cuidadosamente em sua carteira de náilon. "Se você sair dessa vivo, me telefone e eu direi como me devolver as botas."

A esposa de Gallien dera-lhe dois sanduíches de queijo e atum e um saco de *corn chips* para o almoço; ele convenceu o jovem caroneiro a aceitar também a comida. Alex tirou uma câmera da mochila e pediu que Gallien tirasse uma fotografia dele com seu rifle no começo da trilha. Depois, com um amplo sorriso, desapareceu pelo caminho coberto de neve. A data era 28 de abril de 1992.

Gallien manobrou a picape, retornou à rodovia Parks e continuou na direção de Anchorage. Poucos quilômetros adiante, chegou à pequena comunidade de Healy, onde a Força Pública do Alasca mantém um posto. Gallien pensou por um momento em parar e contar às autoridades sobre Alex, mas mudou de ideia. "Imaginei que ele estaria bem", explica. "Pensei que provavelmente ficaria com fome muito cedo e voltaria para a estrada. É o que qualquer pessoa normal faria."

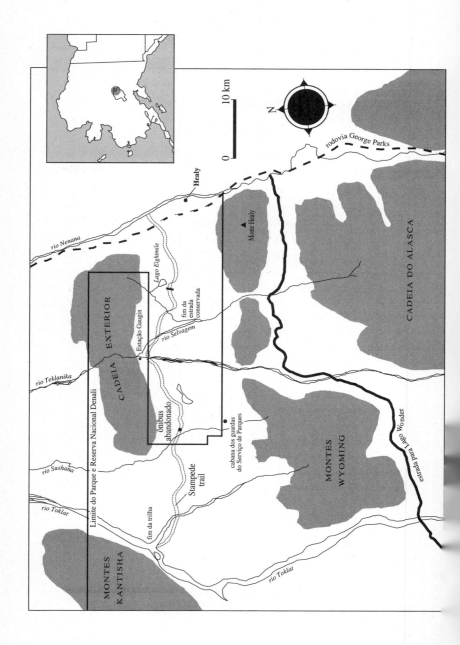

2
STAMPEDE TRAIL

Jack London é rei
Alexander Supertramp
Maio de 1992
GRAFITE ENTALHADO NUM PEDAÇO DE MADEIRA ENCONTRADO
NO LOCAL DA MORTE DE CHRIS MCCANDLESS

A floresta escura de abetos erguia-se carrancuda de ambos os lados do rio congelado. As árvores tinham sido despidas de sua cobertura branca de gelo por um vento recente e pareciam inclinar-se umas para as outras, negras e agourentas, na luz evanescente. Um vasto silêncio reinava sobre a terra. A própria terra era uma desolação, sem vida, sem movimento, tão solitária e fria que seu espírito não era nem mesmo o da tristeza. Havia um laivo de riso nela, mas de um riso mais terrível que qualquer tristeza — um riso que era tão sombrio quanto o sorriso da Esfinge, um riso tão frio quanto o gelo e compartilhando a severidade da infalibilidade. Era a imperiosa e incomunicável sabedoria da eternidade rindo da futilidade da vida e do esforço de viver. Era a Natureza, a selvagem, a de coração gélido, a Natureza das Terras do Norte.

JACK LONDON
CANINOS BRANCOS

Na margem norte da cadeia do Alasca, logo antes que as escarpas volumosas do McKinley e seus satélites se rendam à baixa planície de Kantishna, uma série de elevações menores, conhecidas como cadeia

Exterior, espalha-se pelo terreno plano como um cobertor amarfanhado numa cama desarrumada. Entre as cristas pétreas das duas escarpaduras mais externas da cadeia Exterior corre uma depressão no sentido leste—oeste, com cerca de oito quilômetros de largura, alcatifada por um amálgama pantanoso de musgos e juncos, moitas de amieiros e veios de abetos esqueléticos. Serpenteando pelas terras baixas onduladas e emaranhadas encontra-se a Stampede Trail, rota que Chris McCandless seguiu ao se afastar da civilização.

A trilha, aberta na década de 30 por um lendário mineiro do Alasca chamado de Earl Pilgrim [Conde Peregrino], levava a uma mina de antimônio que ele reivindicou, junto ao córrego Stampede, acima da bifurcação Águas Claras do rio Toklat. Em 1961, a Yutan Construction, uma empresa de Fairbanks, foi contratada pelo novo estado do Alasca (situação a que o território fora elevado dois anos antes) para melhorar a trilha, transformando-a em estrada pela qual os caminhões pudessem retirar o minério durante o ano inteiro. Para abrigar os operários durante as obras, a Yutan comprou três ônibus velhos, dotou-os de beliches e um fogão simples feito de tonel e arrastou-os até o local com um Caterpillar D-9.

O projeto foi suspenso em 1963; cerca de oitenta quilômetros de estrada chegaram a ser construídos, mas nunca se ergueram as pontes sobre os diversos rios que atravessava; pouco depois, ela tornou-se intransitável pelo degelo da *permafrost* e por enchentes sazonais. A empresa rebocou de volta para a estrada dois dos ônibus. O terceiro foi deixado a meio caminho da trilha para servir de abrigo aos caçadores de animais e peles. Nas três décadas decorridas desde que a construção parou, boa parte do leito da estrada foi destruído por enxurradas, macega e lagos de castores, mas o ônibus continua lá.

Um International Harvester de primeira linha da década de 40, o veículo está abandonado a quarenta quilômetros a oeste de Healy, enferrujando de modo desigual entre as ervas à margem da trilha, logo depois da fronteira do Parque Nacional Denali. O motor já não existe. Várias janelas estão rachadas ou foram arrancadas e garrafas quebradas de uísque espalham-se pelo chão. A pintura verde e branca está muito oxidada. Letras castigadas pelo tempo indicam que a velha máquina pertenceu ao Sistema de Trânsito da Cidade de Fairbanks:

ônibus 142. Hoje em dia não é incomum que o veículo passe seis ou sete meses sem receber um visitante humano, mas no começo de setembro de 1992 aconteceu de seis pessoas em três grupos diferentes visitarem, na mesma tarde, o ônibus abandonado.

Em 1980, o Parque Nacional Denali foi ampliado para incluir os montes Kantishna e o extremo norte da cadeia Exterior, mas uma parte de terras baixas dentro da nova extensão do parque foi deixada de fora: um longo braço de terra conhecido como Wolf Townships [Distritos dos Lobos], que abrange a primeira metade da Stampede Trail. Esse trecho de onze por 32 quilômetros está cercado por três lados de terreno protegido do parque e, por isso, é rico em lobos, ursos, caribus, alces e outros animais de caça, um segredo que é bem guardado pelos caçadores locais. No outono, assim que abre a temporada de caça ao alce, um punhado de caçadores costuma visitar o velho ônibus, estacionado ao lado do rio Sushana, no extremo oeste do trecho que não pertence ao parque, a três quilômetros do seu limite.

Ken Thompson, dono de uma oficina de funilaria de Anchorage; Gordon Samel, seu empregado; e seu amigo Ferdie Swanson, operário de construção, partiram para o ônibus no dia 6 de setembro de 1992, atrás de alces. Não é um lugar fácil de chegar. Uns quinze quilômetros depois do fim da estrada melhorada, a Stampede Trail cruza o rio Teklanika, uma corrente forte e gelada cujas águas ficam opacas com resíduos das geleiras. A trilha desce até a margem do rio logo acima de uma garganta estreita, pela qual o Teklanika jorra sua água branca. A perspectiva de vadear essa torrente leitosa desencoraja a maioria das pessoas a ir adiante.

Mas Thompson, Samel e Swanson são alasquianos contumazes, com especial predileção por dirigir veículos motorizados onde eles não foram feitos para andar. Ao chegar ao Teklanika, exploraram as margens até localizar uma seção larga, trançada com canais relativamente rasos, e então entraram de frente na água.

"Eu entrei primeiro", conta Thompson. "O rio tinha provavelmente vinte metros de largura e era muito rápido. Minha máquina é um Dodge 82 4 por 4 com calço de molas e pneus de 38 polegadas e a água chegava ao capô. Teve uma hora em que achei que não ia conseguir atravessar. Gordon tem um guincho com capacidade de três toneladas e meia na frente de seu carro e fiz com que ele andasse logo atrás de mim para que pudesse me puxar se eu sumisse de vista."

Thompson chegou à margem oposta sem incidentes, seguido por Samel e Swanson, em seus respectivos veículos. Na carroceria das duas picapes estavam veículos leves para qualquer tipo de terreno: um de três rodas, o outro de quatro. Eles estacionaram os carrões numa faixa de cascalho, descarregaram os veículos leves e continuaram na direção do ônibus nas máquinas mais manobráveis.

Poucos metros adiante do rio, a trilha desaparecia numa série de lagos de castores onde a água batia no peito. Sem hesitar, os três alasquianos dinamitaram os diques de galhos e drenaram os lagos. Foram então adiante, subindo o leito de um riacho pedregoso através de moitas de amieiros. Era final da tarde quando chegaram finalmente ao ônibus e, segundo Thompson, encontraram "a quinze metros de distância, um cara e uma garota de Anchorage com cara de quem viu assombração".

Nenhum dos dois entrara no ônibus, mas tinham chegado perto o suficiente para notar "um mau cheiro de verdade que vinha de dentro". Uma bandeira de sinalização improvisada — um aquecedor de perna de tricô vermelho, do tipo usado por dançarinos — estava amarrada na ponta de um galho de amieiro na porta de trás do veículo. A porta estava entreaberta e grudada nela havia um bilhete inquietante. Escrito em letra de fôrma numa página arrancada de um romance de Nicolai Gogol, dizia:

S.O.S. PRECISO DE SUA AJUDA. ESTOU FERIDO, QUASE MORTO E FRACO DEMAIS PARA SAIR DAQUI. ESTOU SOZINHO, ISTO NÃO É PIADA. EM NOME DE DEUS, POR FAVOR FIQUE PARA ME SALVAR. ESTOU CATANDO FRUTAS POR PERTO E DEVO VOLTAR ESTA TARDE. OBRIGADO. CHRIS MCCANDLESS. AGOSTO?

O casal de Anchorage ficara muito perturbado com as implicações do bilhete e o forte cheiro de decomposição para examinar o interior do ônibus; então Samel encheu-se de coragem e foi dar uma olhada. Uma espiada pela janela revelou um rifle Remington, uma caixa de plástico de cartuchos, oito ou nove livros, uns jeans rasgados, utensílios de cozinha e uma mochila cara. No fundo do veículo, num beliche barato, havia um saco de dormir que parecia conter algo ou alguém, embora, como diz Samel, fosse "difícil ter certeza absoluta".

"Subi num toco", continua Samel, "enfiei a mão por uma janela de trás e sacudi o saco. Havia realmente algo dentro dele, mas, o que quer que fosse, pesava muito pouco. Foi só quando dei a volta pelo outro lado e vi uma cabeça para fora do saco que tive certeza do que era." Chris McCandless estava morto havia duas semanas e meia.

Samel, um homem de opiniões fortes, decidiu que o corpo deveria ser evacuado imediatamente. Porém, não havia espaço em sua pequena máquina nem na de Thompson para transportar o morto, nem na do casal de Anchorage. Um pouco depois, uma sexta pessoa apareceu no local, um caçador de Healy chamado Butch Killian. Como estava dirigindo um Argo — um *off road* anfíbio de oito rodas —, Samel sugeriu que Killian levasse os despojos, mas ele se recusou, insistindo em que aquilo era tarefa da Força Pública.

Killian, mineiro de carvão que à noite é paramédico de emergência dos Bombeiros Voluntários de Healy, tinha um rádio no Argo. De onde estavam, não conseguiu contatar ninguém, mas oito quilômetros abaixo, na direção da rodovia, pouco antes de escurecer, conseguiu falar com o operador de rádio da usina elétrica de Healy: "Aqui é Butch. É melhor você chamar os soldados. Há um homem no ônibus do Sushana. Parece que está morto há algum tempo".

Às oito e meia da manhã seguinte, um helicóptero da polícia desceu ruidosamente ao lado do ônibus, numa saraivada de poeira e folhas de choupo. Os soldados fizeram um rápido exame do veículo e das imediações buscando sinais de crime e depois partiram. Com eles, levaram os restos de McCandless, uma câmera com cinco rolos de filme batidos, o bilhete de sos e um diário — escrito sobre as duas últimas páginas de um guia de campo de plantas comestíveis — que registrava as semanas finais do rapaz em 113 notas concisas e enigmáticas.

O corpo foi levado para Anchorage, onde se realizou uma autópsia no Laboratório Científico de Detecção de Crimes. Os restos estavam tão decompostos que era impossível determinar exatamente a data da morte, mas o legista não encontrou sinais de grandes ferimentos internos nem ossos quebrados. Não restava praticamente nada de gordura subcutânea no cadáver e os músculos tinham definhado bastante nos dias ou semanas anteriores à morte. No momento da autópsia, os restos de McCandless pesavam trinta quilos e quatrocentos gramas. A inanição foi aventada como a causa mais provável da morte.

A assinatura de McCandless estava no final do bilhete de sos, e entre as fotos reveladas havia muitos autorretratos. Mas como não havia nenhum documento de identidade, as autoridades não sabiam quem era ele, de onde vinha, nem por que estava ali.

3
CARTAGO

Eu queria movimento e não um curso calmo de existência. Queria excitação e perigo e a oportunidade de sacrificar-me por meu amor. Sentia em mim uma superabundância de energia que não encontrava escoadouro em nossa vida tranquila.

LEON TOLSTOI
"FELICIDADE FAMILIAR"
TRECHO SUBLINHADO EM UM DOS LIVROS ENCONTRADOS COM OS
RESTOS DE CHRIS MCCANDLESS

Não se deve negar [...] que estar solto no mundo sempre foi estimulante para nós. Está associado em nossas mentes à fuga da história, opressão, lei e obrigações maçantes, com liberdade absoluta, e a estrada sempre levou para o oeste.

WALLACE STEGNER
THE AMERICAN AS LIVING SPACE

Cartago, Dakota do Sul, 274 habitantes, é um sonolento conjunto de casas de madeira, jardins caprichosos e desgastadas fachadas de tijolo que se erguem humildemente na imensidão das planícies do Norte, à deriva do tempo. Fileiras imponentes de choupos sombreiam as ruas raramente perturbadas pelo movimento de veículos. Na cidade há uma mercearia, um banco, um único posto de gasolina e um bar solitário, o Cabaret, onde Wayne Westerberg está tomando um coquetel e mascando um charuto, lembrando-se do rapaz esquisito que conheceu com o nome de Alex.

As paredes de compensado do Cabaret estão decoradas com chifres de veado, velhos anúncios de cerveja Milwaukee e pinturas cafonas de aves de caça alçando voo. Anéis de fumaça de cigarro elevam-se dos grupos de agricultores de macacão e boné empoeirados, faces cansadas e tão encardidas quanto a de mineiros de carvão. Falando com frases curtas, objetivas, eles expõem sua preocupação com o tempo instável e os campos de girassol ainda úmidos demais para cortar, enquanto acima de suas cabeças o rosto zombeteiro de Ross Perot tremeluz na tela da televisão. Dentro de oito dias, o país vai eleger Bill Clinton presidente. Já se passaram dois meses desde que o corpo de Chris McCandless apareceu no Alasca.

"Era isso que Alex costumava beber", diz Westerberg, franzindo as sobrancelhas enquanto mexe o gelo de seu coquetel White Russian. "Ele costumava sentar-se ali no fim do balcão e contar aquelas histórias espantosas de suas viagens. Era capaz de falar durante horas. Muita gente aqui da cidade ficou bastante ligada no Alex. Negócio esquisito que aconteceu com ele."

Westerberg, um homem agitado de ombros largos e cavanhaque negro, é dono de um elevador de cereais em Cartago e de outro alguns quilômetros fora da cidade, mas passa todos os verões dirigindo uma equipe que movimenta ceifeiras-debulhadoras feitas sob medida, seguindo a colheita, do Texas à fronteira do Canadá. No outono de 1990, estava encerrando a estação no centro-norte de Montana, cortando cevada para a Coors e a Anheuser-Bush. Na tarde de 10 de setembro, saindo de Cut Bank depois de comprar algumas peças para uma das máquinas, parou para dar carona a um garoto simpático que dizia chamar-se Alex McCandless.

O rapaz era um tanto pequeno, de físico magro, mas rijo e resistente, de trabalhador itinerante. Havia algo interessante em seus olhos. Escuros e emotivos, sugeriam um traço de sangue exótico em sua linhagem — grego, talvez, ou chippewa — e transmitiam uma vulnerabilidade que fez Westerberg querer abrigar o garoto sob suas asas. Era o tipo de beleza sensível que atraía as mulheres, imaginou Westerberg. Seu rosto tinha uma elasticidade estranha: de mole e inexpressivo passava subitamente a ostentar um sorriso largo e exagerado que distorcia seus traços e expunha dentes cavalares. Era míope e usava óculos de aros de aço. Parecia faminto.

Dez minutos depois de apanhar McCandless, Westerberg parou na cidade de Ethridge para entregar um pacote a um amigo. "Ele nos ofereceu cerveja e perguntou a Alex há quanto tempo não comia. O garoto admitiu que fazia um par de dias. Disse que ficara sem dinheiro." Ouvindo isso, a esposa do amigo insistiu em fazer um grande jantar para Alex, que ele devorou e depois adormeceu sobre a mesa.

McCandless dissera a Westerberg que seu destino era Saco Hot Springs, quase quatrocentos quilômetros para leste, na autoestrada 2, um lugar de que ouvira falar por alguns *rubber tramps* (vagabundos que possuem um veículo, diferentes dos *leather tramps*, que não têm transporte próprio e são obrigados a pedir carona ou caminhar). Westerberg respondera que podia levar McCandless somente dez quilômetros adiante, pois então viraria para o norte, na direção de Sunburst, onde tinha um trailer perto dos campos que estava cortando. Quando parou para que McCandless descesse, já eram dez e meia da noite e chovia forte. Westerberg propôs: "Olha, não vou deixar você nesta maldita chuva. Você tem um saco de dormir — por que não vem comigo até Sunburst e passa a noite no trailer?".

McCandless ficou com Westerberg três dias, saindo todas as manhãs com a turma que pilotava as máquinas, atravessando o oceano de cereais maduros. Antes que se separassem, Westerberg disse ao rapaz que o procurasse em Cartago se precisasse de emprego.

"Não passaram duas semanas e Alex apareceu na cidade", relembra Westerberg, que lhe deu emprego no elevador de cereais e alugou-lhe um quarto barato em uma das duas casas que possuía.

"Tenho dado emprego a um monte de caroneiros ao longo dos anos", diz Westerberg. "A maioria deles não era lá grande coisa, não queria realmente trabalhar. Com Alex, a história era diferente. Foi o trabalhador mais tenaz que conheci. Não importava o que fosse, ele fazia: trabalho manual duro, tirar grãos podres e ratos mortos do fundo do buraco, serviços que o deixam tão sujo que você nem sabe com que cara fica no final do dia. E nunca largava as coisas pela metade. Se começava um serviço, ia até o fim. Era quase uma coisa moral para ele.

Ele era o que você chamaria de extremamente ético. Ele se impunha padrões bastante elevados."

"Você via logo que Alex era inteligente", reflete Westerberg, acabando seu terceiro drinque. "Lia muito. Usava um monte de palavras pomposas. Acho que parte do que complicou sua vida talvez tenha sido que ele pensava muito. Às vezes fazia força demais para entender o mundo, saber por que certas pessoas eram más com as outras. Um par de vezes tentei lhe dizer que era um erro se aprofundar tanto naquele tipo de coisa, mas Alex empacava. Tinha sempre que saber a resposta certa e absoluta antes de passar para a próxima coisa."

A certa altura, Westerberg descobriu em um formulário de imposto que o nome verdadeiro de McCandless era Chris. "Ele nunca explicou por que trocara de nome", diz Westerberg. "Das coisas que dizia, dava para deduzir que algo não ia bem entre ele e sua família, mas não gosto de me meter na vida dos outros, então nunca perguntei sobre isso."

Se McCandless se sentia distante de seus pais e parentes, encontrou uma família substituta em Westerberg e seus empregados, a maioria dos quais morava na casa dele em Cartago. Distante algumas quadras do centro da cidade, trata-se de um sobrado vitoriano simples, no estilo da rainha Ana, com um grande choupo no jardim. A convivência na casa era descontraída e alegre. Os quatro ou cinco habitantes alternavam-se na cozinha, saíam para beber em bando e caçavam mulheres juntos, sem sucesso.

McCandless logo se apaixonou por Cartago. Gostava da pasmaceira da comunidade, de suas virtudes plebeias e do aspecto despretensioso. O lugar era uma província estagnada, um lago de restos e detritos à margem da corrente principal, e isso lhe caía muito bem. Naquele outono, ele criou um laço duradouro com a cidade e com Wayne Westerberg.

Westerberg tem trinta e poucos anos e foi trazido para Cartago por seus pais adotivos quando era pequeno. Verdadeiro renascentista das planícies, ele é fazendeiro, soldador, comerciante, maquinista, mecânico de primeira, especulador de commodities, piloto de avião com brevê, programador de computador, reparador eletrônico, técnico de videogames. Mas, pouco antes de conhecer McCandless, um de seus talentos o deixara às voltas com a lei.

Ele entrara num esquema de construir e vender "caixas-pretas" que captam clandestinamente transmissões de televisão via satélite, permitindo que as pessoas assistam à programação da tevê a cabo sem pagar. O FBI soube disso, armou uma cilada e prendeu Westerberg. Arrependido, ele admitiu a culpa por um único delito e a 10 de outubro de 1990, cerca de duas semanas depois que McCandless chegara a Cartago, começou a cumprir uma sentença de quatro meses em Sioux Falls. Com Westerberg na prisão, não havia trabalho no elevador de cereais para McCandless; em 23 de outubro, mais cedo do que poderia ter acontecido em circunstâncias diferentes, o garoto deixou a cidade e retomou sua vida nômade.

A ligação dele com Cartago, no entanto, continuou forte. Antes de partir, deu a Westerberg uma estimada edição de 1942 de *Guerra e paz*, de Tolstoi. Na página de rosto, escreveu: "Transferido para Wayne Westerberg por Alexander. Outubro, 1990. Escute Pierre". (Referência ao protagonista e alter ego de Tolstoi, Pierre Bezuhov — altruísta, inquiridor, filho ilegítimo.) E McCandless ficou em contato com Westerberg enquanto perambulava pelo Oeste, telefonando ou escrevendo para Cartago a cada um ou dois meses. Fez toda a sua correspondência ser enviada para o endereço de Westerberg e disse a quase todo mundo que encontrou depois que era de Dakota do Sul.

Na verdade, McCandless crescera no confortável ambiente de alta classe média de Annandale, Virgínia. Walt, seu pai, é um eminente engenheiro aeroespacial que criara sistemas avançados de radar para o vaivém espacial e outros projetos de ponta enquanto trabalhou na Nasa e na Hughes Aircraft nos anos 60 e 70. Em 1978, Walt abriu a User Systems Incorporated, uma pequena firma de consultoria que se tornou próspera. Sua sócia na iniciativa foi a mãe de Chris, Billie. Havia oito filhos na extensa família: uma irmã mais moça, Carine, de quem Chris era extremamente próximo, e seis meios-irmãos e irmãs do primeiro casamento de Walt.

Em maio de 1990, Chris graduou-se na Universidade Emory, em Atlanta, onde fora colunista e editor do jornal estudantil *The Emory Wheel* e se distinguira como aluno de história e antropologia, com uma média de 3,72 pontos. Foi convidado para ser membro da Phi Beta Kappa, mas recusou, afirmando que títulos e honrarias eram irrelevantes.

Os dois últimos anos de seus estudos foram pagos com uma doação de 40 mil dólares feita por um amigo da família, sobravam mais de 20 mil quando Chris terminou a graduação, dinheiro que seus pais pensavam que pretendesse usar para estudar direito. "Nós o interpretamos mal", admite seu pai. O que Walt, Billie e Carine não sabiam quando voaram até Atlanta para assistir à formatura de Chris — o que ninguém sabia — é que ele doaria em breve todo o dinheiro de seu fundo escolar à Oxfam America, uma instituição de caridade dedicada a combater a fome.

A cerimônia de graduação foi no dia 12 de maio, um sábado. A família ouviu um longo discurso de colação de grau da secretária do Trabalho Elizabeth Dole e depois Billie tirou fotos de um Chris de sorriso forçado atravessando o palco para receber o diploma.

O dia seguinte era o Dia das Mães. Chris deu a Billie bombons, flores e um cartão comovente. Ela ficou surpresa e extremamente tocada: era o primeiro presente que recebia do filho em mais de dois anos, desde que ele anunciara aos pais que, por princípio, não mais daria nem aceitaria presentes. Com efeito, Chris repreendera recentemente os pais por expressarem o desejo de dar-lhe um carro novo por ocasião da formatura e por terem se oferecido para pagar a faculdade de direito se não houvesse dinheiro suficiente em seu fundo escolar.

Ele já tinha um carro perfeitamente bom, insistiu: um amado Datsun B210 1982, um pouco amassado, mas com excelente mecânica, com 205 mil quilômetros no hodômetro. "Não posso acreditar que eles tentaram me comprar um carro", queixou-se depois por carta a Carine,

> ou que pensem que eu deixaria que pagassem a faculdade de direito, se eu fosse para lá [...] Eu disse para eles milhões de vezes que tenho o melhor carro do mundo, um carro que atravessou o continente, de Miami ao Alasca, um carro que em todos aqueles milhares de quilômetros não deu um único problema, um carro que jamais trocarei, um carro ao qual estou fortemente ligado; mas eles ignoram o que digo e pensam que eu iria de fato aceitar um carro novo deles! Vou ter de ser realmente cauteloso em não aceitar nenhum presente deles no futuro porque pensarão que compraram meu respeito.

Chris comprara o Datsun amarelo de segunda mão quando estava no último ano do secundário. Desde então, tinha o costume de levá-lo em longas viagens solitárias nas férias e, durante aquela semana da formatura, mencionou casualmente aos pais que pretendia passar o próximo verão também na estrada. Suas palavras exatas foram: "Acho que vou desaparecer por algum tempo".

Na ocasião, os pais não deram atenção a esse anúncio, embora Walt tivesse gentilmente advertido o filho, dizendo: "Ei, não esqueça de visitar a gente antes de partir". Chris sorriu e meio que assentiu com a cabeça, uma reação que Walt e Billie tomaram por uma confirmação de que ele os visitaria em Annandale antes do início do verão. Depois, despediram-se.

Perto do final de junho, Chris, ainda em Atlanta, mandou aos pais uma cópia de seu boletim final: A em apartheid e sociedade sul-africana e história do pensamento antropológico; A menos em política africana contemporânea e a crise de alimentos na África. Junto, mandou um bilhete curto:

> Aqui está uma cópia de meu boletim final. Do ponto de vista das notas, as coisas foram muito bem e acabei com uma média acumulada alta.
>
> Obrigado pelas fotos, pelo kit de barba e pelo postal de Paris. Parece que vocês realmente gostaram da viagem. Deve ter sido muito divertida.
>
> Dei a Lloyd [o amigo mais próximo de Chris em Emory] sua fotografia e ele ficou muito agradecido; não tinha nenhuma foto da entrega do diploma.
>
> Não há muita coisa mais acontecendo, mas está ficando bem quente e úmido por aqui. Digam alô a todos por mim.

Foi a última vez que alguém da família de Chris teve notícias dele.

Durante aquele último ano em Atlanta, Chris morara fora do campus, num quarto monacal mobiliado com pouco mais que um colchão fino no chão, caixotes de leite e uma mesa. Mantinha-o arrumado e limpo como um quartel militar. E não dispunha de telefone: Walt e Billie não tinham como contatá-lo.

No começo de agosto de 1990, os pais de Chris não haviam recebido notícias de seu filho desde o bilhete com as notas; decidiram então ir de carro a Atlanta para uma visita. Quando chegaram a seu apartamento, estava vazio e tinha um cartaz de ALUGA-SE colado na janela.

O zelador disse que Chris se mudara no final de junho. Walt e Billie voltaram para casa e descobriram que todas as cartas que enviaram para o filho naquele verão tinham sido devolvidas num feixe. "Chris dera instruções ao correio para segurá-las até 1º de agosto, evidentemente para que não ficássemos sabendo do que estava acontecendo", diz Billie. "Isso nos deixou muito, muito preocupados."

Àquela altura, Chris partira havia muito tempo. Cinco semanas antes, enfiara todas as suas coisas em seu pequeno carro e zarpara para o oeste, sem destino. A viagem seria uma odisseia no pleno sentido do termo, uma jornada épica que mudaria tudo. Ele passara os quatro anos anteriores, tal como via as coisas, preparando-se para cumprir um dever oneroso e absurdo: graduar-se na faculdade. Finalmente estava desimpedido, emancipado do mundo sufocante de seus pais e pares, um mundo de abstração, segurança e excesso material, um mundo em que ele se sentia dolorosamente isolado da pulsação vital da existência.

Saindo de Atlanta para o oeste, pretendia inventar uma vida totalmente nova para si mesmo, na qual estaria livre para mergulhar na experiência crua, sem filtros. Para simbolizar o corte completo com sua vida anterior, adotou um nome novo. Não mais atenderia por Chris McCandless; era agora Alexander Supertramp, senhor de seu próprio destino.

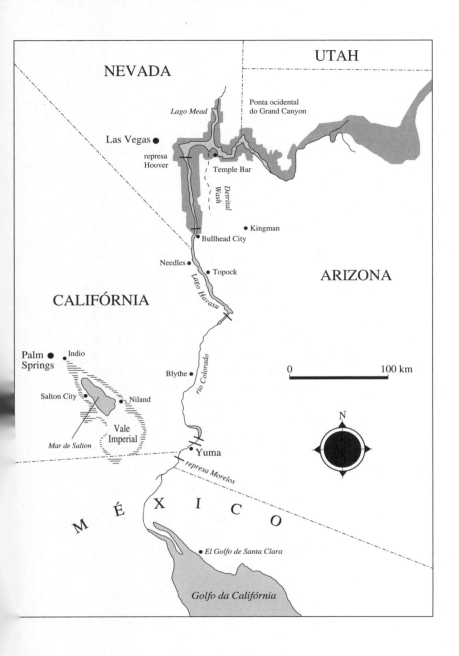

4
DETRITAL WASH

O deserto é o ambiente de revelação, estranho genética e fisiologicamente, sensorialmente austero, esteticamente abstrato, historicamente hostil. [...] Suas formas são nítidas e sugestivas. A mente é assediada por luz e espaço, a novidade cinestésica da aridez, alta temperatura e vento. O céu do deserto é abarcante, majestoso, terrível. Em outros hábitats, a linha do céu acima do horizonte é quebrada ou obscurecida; aqui, junto com a parte acima da cabeça, é infinitamente mais vasta do que a do campo ondulado e a das florestas. [...] Num céu desobstruído, as nuvens parecem mais imponentes, refletindo às vezes a curvatura da Terra em suas concavidades inferiores. A angulosidade das formas terrestres do deserto empresta uma arquitetura monumental tanto à terra como às nuvens. [...]
   Ao deserto vão profetas e eremitas; pelo deserto cruzam peregrinos e exilados. Aqui, os líderes das grandes religiões buscaram os valores terapêuticos e espirituais do retiro, não para fugir da realidade, mas para encontrá-la.

PAUL SHEPARD
HOMEM NA PAISAGEM:
UMA VISÃO HISTÓRICA DA ESTÉTICA DA NATUREZA

A papoula pata-de-urso, *Arctomecon californica*, é uma flor silvestre encontrada em um canto isolado do deserto Mojave e em mais nenhum outro lugar do mundo. No final da primavera, ela produz por pouco tempo uma flor delicada, mas a maior parte do ano permanece sem adornos e despercebida na terra crestada. A *A. californica* é suficientemente rara para ter sido classificada como espécie ameaçada de extinção. Em outubro de 1990, mais de três meses depois que McCandless partira de Atlanta, um guarda do Serviço Nacional de Parques chamado Bud Walsh foi mandado ao rincão da Área de Recreação Nacional do Lago Mead para contar essas plantas, a fim de informar o governo federal sobre seu número exato.

A *A. californica* cresce somente em solo gipsífero, do tipo que ocorre em abundância na margem sul do lago Mead, e para lá Walsh levou sua equipe para realizar o levantamento botânico. Eles saíram da estrada Temple Bar, dirigiram três quilômetros sem estrada pelo Detrital Wash [leito seco detrítico], estacionaram seus veículos perto do lago e começaram a escalar a íngreme margem leste do leito seco, um talude de gesso branco farelento. Poucos minutos depois, quando se aproximavam do alto do barranco, um dos guardas deu uma olhada para baixo enquanto fazia uma pausa para recuperar o fôlego. "Ei! Olhem aqui!", gritou. "O que é aquilo lá?"

Na beira do leito seco do rio, numa moita de armoles não muito distante de onde tinham estacionado, um objeto grande estava escondido sob um encerado pardo. Ao retirar a lona, os guardas viram um velho Datsun amarelo sem placas. Havia um bilhete colado no pára-brisa: "Esta merda foi abandonada. Quem conseguir tirá-lo daqui pode ficar com ele".

As portas não estavam trancadas. O chão do carro estava cheio de lama de uma inundação recente. Dentro, Walsh encontrou um violão Giannini, uma panela com 4,93 dólares em moedas, uma bola de futebol americano, um saco de lixo cheio de roupas velhas, um caniço e apetrechos de pesca, um barbeador elétrico novo, uma gaita de boca, um conjunto de cabos de "chupeta", doze quilos de arroz e, no porta-luvas, as chaves do carro.

Os guardas vasculharam a área circundante procurando "qualquer coisa suspeita", segundo Walsh, e depois foram embora. Cinco dias depois, outro guarda voltou ao local, conseguiu facilmente dar a partida com uma "chupeta" e levou o carro para o pátio de manutenção do Serviço Nacional de Parques, em Temple Bar. "Ele voltou a cem quilômetros por hora", relembra Walsh. "Disse que o bicho corria como um campeão." Na tentativa de descobrir o dono do carro, os guardas mandaram um boletim pelo teletipo para os órgãos policiais apropriados e fizeram uma pesquisa detalhada nos computadores do Sudoeste para ver se o VIN [número de identificação de veículo] do Datsun estava associado a algum crime. Não apareceu nada.

Em breve, pelo número de série do carro, os guardas chegaram à Hertz Corporation, dona original do carro; a empresa disse que o vendera como carro de aluguel usado muitos anos antes e não tinha interesse em reavê-lo. "Uau! Que ótimo!", Walsh lembra ter pensado. "Um presente dos deuses da estrada: um carro como esse será excelente para interceptar drogas." E foi o que aconteceu de fato. Nos três anos seguintes, o Serviço de Parques usou o velho Datsun para fazer "compras" de drogas que levaram a numerosas detenções na área de recreação do lado, assolada pelo crime — inclusive à prisão de um traficante de grandes quantidades de anfetamina que operava em um campo de trailers próximo a Bullhead City.

"Ainda estamos rodando com aquele carrinho", relata Walsh orgulhoso, dois anos e meio depois de achar o Datsun. "É só botar um pouco de gasolina e ele anda o dia inteiro. Realmente confiável. Fico imaginando por que ninguém apareceu para reclamar o carro."

O Datsun, é claro, pertencia a Chris McCandless. Depois de sair de Atlanta, ele chegara à Área de Recreação do Lago Mead a 6 de julho, embriagado de felicidade emersoniana. Ignorando avisos de que dirigir fora da estrada era absolutamente proibido, McCandless saiu do asfalto com seu Datsun, no local onde a estrada cruzava um leito seco largo e arenoso. Dirigiu três quilômetros pelo aluvião até a margem sul do lago. A temperatura era de 48 graus. O deserto ermo estendia-se à distância, tremeluzindo sob o calor. Cercado por cactos gigantes, *bur sage* [*Franseria dumosa*] e pelas disparadas cômicas dos lagartos de colarinho, McCandless armou sua barraca na sombra insignificante de uma tamarga e regalou-se em sua nova liberdade.

O Detrital Wash estende-se por cerca de oitenta quilômetros, do lago Mead até as montanhas ao norte de Kingman, drenando uma boa porção de terreno. Na maior parte do tempo, o leito fica seco como giz. Mas, durante os meses de verão, sobe da terra abrasada um ar superaquecido, como bolhas do fundo de uma chaleira fervente, elevando-se para o céu em turbulentas correntes de convecção. Com frequência, as correntes de ar ascendente criam robustas nuvens cúmulos-nimbos que podem subir a 9 mil metros ou mais acima do Mojave. Dois dias depois que McCandless montou seu acampamento ao lado do lago Mead, uma parede incomum de cúmulos de trovoada ergueu-se no céu da tarde e começou a chover, muito forte, sobre boa parte do vale detrítico.

McCandless estava acampado na beira do leito seco, cinquenta centímetros mais alto que o canal principal; quando a pororoca de água marrom veio despencando do terreno mais alto, só teve tempo para juntar sua barraca e seus pertences e salvá-los da enxurrada. Não havia, contudo, lugar para onde levar o carro, pois a única rota de saída era agora um rio borbulhante. Aconteceu que a enxurrada não teve força suficiente para levar o veículo, nem mesmo causar danos sérios. Mas encharcou o motor de tal forma que, quando McCandless tentou dar a partida logo depois, o carro não pegava; na sua impaciência, descarregou a bateria.

Com a bateria arriada, não havia meio de fazer o Datsun andar. Se quisesse levar o carro de volta para uma estrada pavimentada, McCandless não tinha escolha senão caminhar até as autoridades e contar seu apuro. Mas se falasse com os guardas eles teriam algumas perguntas maçantes a fazer: por que tinha ignorado os avisos e entrado no leito seco? Sabia que a licença do veículo expirara havia dois anos e não fora renovada? Sabia que sua carteira de motorista também estava vencida e que o carro não tinha seguro obrigatório?

As respostas honestas a essas questões não seriam provavelmente bem recebidas pelos guardas. McCandless poderia esforçar-se para explicar que respondia a estatutos de uma ordem superior — que, como adepto moderno de Henry David Thoreau, tinha por evangelho o ensaio "A desobediência civil" e considerava, portanto, sua responsabilidade moral zombar das leis do Estado. Era improvável, no entanto, que agentes do governo federal compartilhassem seus pontos de vista. Haveria pilhas de papéis para negociar e multas a pagar. Seus pais seriam certamente contatados. Mas havia uma maneira de evitar esse agravo: ele poderia simplesmente abandonar o Datsun e retomar sua odisseia a pé. Foi o que decidiu fazer.

Ademais, em vez de sentir-se perturbado pelos acontecimentos, McCandless ficou animado: viu na enxurrada uma oportunidade de abandonar bagagem desnecessária. Escondeu o carro do melhor modo que pôde, sob uma tamarga marrom, arrancou suas placas da Virgínia e escondeu-as. Enterrou seu rifle Winchester de caçar cervos e algumas outras coisas que poderia um dia querer recuperar. Depois, num gesto que deixaria Thoreau e Tolstoi orgulhosos, empilhou todas as suas cédulas de dinheiro na areia — um pequenino monte patético de notas de um, cinco e vinte — e tocou fogo. Cento e vinte e três dólares em dinheiro legal foram prontamente reduzidos a cinza e fumaça.

Sabemos de tudo isso porque McCandless documentou a queima do dinheiro e a maioria dos eventos que se seguiram num diário-álbum de fotografias que deixaria mais tarde com Wayne Westerberg, antes de partir para o Alasca. Embora o tom do diário — escrito na terceira pessoa, em estilo pomposo e afetado — descambe com frequência para o melodrama, os indícios disponíveis indicam que McCandless não deturpou os fatos: dizer a verdade era uma crença que levava a sério.

Depois de enfiar as poucas coisas que restaram em sua mochila, McCandless partiu a 10 de julho para uma caminhada em torno do lago Mead. Isso, reconhece seu diário, revelou-se um "tremendo erro [...] No meio de julho, a temperatura fica delirante". Sofrendo de insolação, conseguiu fazer parar um barco que lhe deu uma carona até Callville Bay, uma marina perto da ponta oeste do lago, onde levantou o polegar e pegou a estrada.

McCandless vagou pelo oeste nos dois meses seguintes, encantado com a escala e o poder da paisagem, excitado com pequenas escaramuças com a lei, saboreando a companhia intermitente de outros vagabundos que encontrou no caminho. Deixando-se levar pelas circunstâncias, foi de carona ao lago Tahoe, subiu a sierra Nevada e passou uma semana caminhando para o norte na trilha do Espinhaço do Pacífico, depois deixou as montanhas e voltou ao asfalto.

No final de julho, aceitou carona de um homem que chamava a si mesmo de Louco Ernie e ofereceu a McCandless um emprego numa fazenda no norte da Califórnia. As fotografias do lugar mostram uma casa sem pintura, caindo aos pedaços, rodeada de cabras e galinhas, estrados de cama, televisores quebrados, carrinhos de compra, eletrodomésticos velhos e montes e montes de lixo. Depois de trabalhar onze dias ao lado de outros seis vagabundos, ficou claro para McCandless que Ernie não tinha nenhuma intenção de pagá-lo. Roubou então uma bicicleta vermelha de dez marchas da barafunda do quintal, pedalou até Chico e livrou-se da bicicleta no estacionamento de um shopping center. Retomou a vida de movimento constante, pegando carona para o norte e para oeste, passando por Red Bluff, Weaverville e Willow Creek.

Em Arcata, Califórnia, nas úmidas florestas de sequoias da costa do Pacífico, McCandless virou à direita na autoestrada 101 e subiu pela costa. Cem quilômetros ao sul da fronteira do Oregon, perto da cidade de Orick, um casal de nômades numa van velha parou para consultar o mapa quando percebeu um garoto saindo agachado das moitas na lateral da estrada. "Estava de calções compridos e aquele chapéu realmente estúpido", diz Jan Burres, uma *rubber tramp* de 41 anos que estava viajando pelo Oeste vendendo bugigangas em feiras e mercados de troca com seu namorado Bob. "Ele tinha um livro sobre plantas que usava para pegar frutas silvestres, pondo-as num galão de leite com a tampa cortada. Parecia em estado bem deplorável, então gritei: 'Ei, você quer uma carona para algum lugar?'. Pensei que pudesse dar a ele uma comida ou algo assim.

"Começamos a conversar. Era um garoto legal. Disse que seu nome era Alex. E estava com muita fome. Faminto, faminto, faminto. Mas bem feliz. Disse que estava sobrevivendo à base de plantas comestíveis que identificava usando o livro. Parecia muito orgulhoso disso. Disse que andava vagabundeando pelo país, vivendo uma grande aventura das antigas. Contou-nos sobre o abandono do carro, a queima do dinheiro. Eu perguntei: 'Por que você fez isso?'. Disse que não precisava de dinheiro. Tenho um filho mais ou menos da mesma idade de Alex e não nos vemos há alguns anos. Então eu disse para Bob: 'Cara, temos que levar este garoto conosco. Você precisa ensinar a ele algumas coisas'. Alex pegou carona conosco até Orick Beach, onde estávamos ficando, e acampou conosco durante uma semana. Era um garoto realmente bom. Sentimos grande afeição por ele. Quando partiu, nunca esperamos ter notícias dele de novo, mas ele fez questão de

41

manter contato. Nos dois anos seguintes, Alex nos mandou um cartão-postal a cada um ou dois meses."

De Orick, McCandless continuou subindo pela costa. Passou por Pistol River, Coos Bay, Seal Rock, Manzanita, Astoria; Hoquiam, Humptulips, Queets; Forks, Port Angeles, Port Townsend, Seattle. "Ele estava sozinho", como James Joyce escreveu de Stephen Dedalus, seu artista quando jovem. "Ele estava desligado de tudo, feliz, perto do coração selvagem da vida. Estava sozinho e era jovem, cheio de vontade e tinha um coração selvagem; estava sozinho no meio de um ermo de ar bravio, entre águas salobras, entre a colheita marítima de conchas, entre claridades cinzentas embaçadas."

A 10 de agosto, pouco antes de encontrar Jan Burres e Bob, McCandless fora multado por pedir carona perto de Willow Creek, na região de mineração de ouro a leste de Eureka. Num lapso pouco característico, deu o endereço de seus pais em Annandale quando o policial quis saber seu endereço permanente. A multa não paga apareceu na caixa de correio de Walt e Billie no final de agosto.

Terrivelmente preocupados com o sumiço de Chris, eles já tinham contatado a polícia de Annandale, que não ajudara em nada. Quando a multa chegou da Califórnia, ficaram desvairados. Um de seus vizinhos era um general do exército, diretor da Agência de Informações da Defesa (DIA), e Walt abordou-o, pedindo conselhos. O general colocou-o em contato com um detetive particular chamado Peter Kalitka, que prestara serviços tanto para a DIA como para a CIA. Ele era o melhor, garantiu o homem; se Chris estava em algum lugar, Kalitka o acharia.

Usando a multa de Willow Creek como ponto de partida, Kalitka iniciou uma busca extremamente meticulosa, perseguindo pistas que levavam tão longe quanto a Europa e a África do Sul. Porém, seus esforços deram em nada — até dezembro, quando soube por meio de uma inspeção no imposto de renda que Chris tinha doado seu fundo escolar para a Oxfam.

"Isso realmente nos apavorou", diz Walt. "Àquela altura, não tínhamos absolutamente nenhuma ideia do que Chris poderia estar tramando. A multa por pedir carona não fazia sentido nenhum. Ele adorava tanto aquele Datsun que eu estava atônito que tivesse abandonado o carro e viajasse a pé. Suponho que não deveria ter me surpreendido.

Chris era muito da teoria de que você não deve possuir mais do que pode carregar nas costas numa corrida repentina."

Enquanto Kalitka farejava Chris na Califórnia, McCandless já estava longe, viajando de carona para o leste, atravessando a cadeia Cascade, o planalto cheio de artemísias e lençóis de lava da bacia do rio Colúmbia, o enclave de Idaho, e entrando em Montana. Ali, perto de Cut Bank, cruzou caminho com Wayne Westerberg e no final de setembro estava trabalhando para ele em Cartago. Quando Westerberg foi para a prisão e o trabalho parou, com o inverno se aproximando, McCandless partiu para climas mais quentes.

A 28 de outubro, pegou uma carona com um caminhoneiro até Needles, Califórnia. "Cheio de satisfação por chegar ao rio Colorado", escreveu em seu diário. Deixou então a rodovia e começou a caminhar para o sul pelo deserto, seguindo a margem do rio. Vinte quilômetros a pé levaram-no a Topock, Arizona, uma poeirenta estação de passagem da Interestadual 40, onde ela cruza fronteira da Califórnia. Enquanto estava na cidade, viu uma canoa de alumínio de segunda mão à venda e, num impulso, decidiu comprá-la e remar rio Colorado abaixo, até o golfo da Califórnia, distante quase 650 quilômetros, do outro lado da fronteira com o México.

Esse trecho mais baixo do rio, da represa Hoover até o golfo, tem pouco em comum com a torrente desenfreada que explode através do Grand Canyon, cerca de quatrocentos quilômetros acima de Topock. Contido por represas e canais de desvio, o baixo Colorado burbureja indolente de reservatório em reservatório, através da região mais quente e mais árida do continente. McCandless ficou emocionado com a austeridade da paisagem, com sua beleza salina. O deserto aguçava a doce dor de sua aspiração, amplificava-a, dava forma a ela em geologia ressequida e puro raio de luz.

De Topock, McCandless remou até o lago Havasu sob uma abóbada celeste alvejada, imensa e vazia. Fez uma breve excursão pelo rio Bill Williams, um afluente do Colorado, depois continuou rio abaixo pela Reserva Indígena do Rio Colorado, o Refúgio Nacional de Vida Selvagem Cibola e o Refúgio Nacional de Vida Selvagem Imperial. Passou pelos cactos gigantes saguaros e baixios de álcali, acampou sob escarpas de pedra nua pré-cambriana. À distância, pontiagudas montanhas de cor marrom-chocolate flutuavam sobre lagos misteriosos de miragem. Deixando o rio por um dia para seguir uma manada de cavalos selvagens, passou por um cartaz com a advertência de que estava invadindo a Zona de Testes de Yuma, terreno altamente proibido do exército americano. McCandless não deu a mínima para o cartaz.

No final de novembro, chegou a Yuma, onde parou o tempo suficiente para refazer suas provisões e mandar um postal para Westerberg, aos cuidados da Glory House, a instituição de regime aberto onde Westerberg estava cumprindo sua pena. "Ei, Wayne!", diz o cartão,

Como vão as coisas? Espero que sua situação tenha melhorado desde a última vez em que nos falamos. Ando vagabundeando pelo Arizona faz mais ou menos um mês agora. Este é um bom estado! Há todos os tipos de cenários fantásticos e o clima é maravilhoso. Mas, além de mandar saudações, o principal objetivo deste cartão é agradecer mais uma vez por toda a sua hospitalidade. É raro encontrar um homem tão generoso e de bom coração como você. Mas às vezes penso que teria sido melhor não ter encontrado você. É muito fácil vagabundear com todo este dinheiro. Meus dias eram mais excitantes quando estava duro e tinha de andar à cata da próxima refeição. Se bem que agora eu não conseguiria nada sem dinheiro, pois há poucas plantações de frutas por aqui nesta época do ano.

Por favor, agradeça de novo a Kevin por todas as roupas que me deu, eu teria morrido congelado sem elas. Espero que ele tenha dado aquele livro para você. Wayne, você deveria realmente ler *Guerra e paz*. Eu estava falando sério quando disse que você tinha um dos melhores caracteres de todos os homens que conheci. É um livro muito forte e altamente simbólico. Tem coisas nele que acho que você vai entender. Coisas que escapam à maioria das pessoas. Quanto a mim, decidi que vou levar esta vida durante algum tempo ainda. A liberdade e a beleza simples dela são boas demais para deixar passar. Um dia voltarei e reembolsarei um pouco da sua generosidade. Uma caixa de Jack Daniel's, quem sabe? Até lá, sempre pensarei em você como um amigo. DEUS TE ABENÇOE. ALEXANDER.

A 2 de dezembro, chegou à represa de Morelos e à fronteira mexicana. Preocupado com a possibilidade de lhe negarem entrada porque não levava documentos, remou sorrateiramente para o México pelas comportas abertas e atravessando rapidamente o vertedouro. "Alex olha rapidamente em volta em busca de sinais de confusão", registra seu diário. "Mas sua entrada no México é despercebida ou ignorada. Alexander está exultante!" Seu júbilo, no entanto, durou pouco. Adiante da represa de Morelos, o rio transforma-se num labirinto de canais de irrigação, pântanos e vias sem saída, nos quais McCandless se perdeu repetidamente:

Os canais dividem-se numa multidão de direções. Alex está tonto. Encontra alguns funcionários do canal que falam um pouco de inglês. Eles dizem que ele não está indo para o sul, mas para oeste, na direção do centro da península da Baja. Alex fica arrasado. Implora e insiste, pois deve haver alguma saída para o golfo da Califórnia. Eles olham fixo para Alex e acham que ele é louco. Mas então irrompe uma conversa animada entre eles, acompanhada de mapas e muitos lápis. Depois de dez minutos, apresentam a Alex uma rota que certamente o levará ao oceano. Ele se enche de alegria e a esperança explode de novo em seu coração. Seguindo o mapa, ele volta pelo canal até chegar ao canal da Independência, que segue para leste. De acordo com o mapa, esse canal deve encontrar-se com o canal Wellteco, que virará para o sul e correrá até o oceano. Mas suas esperanças são rapidamente derrubadas quando o canal chega a um ponto sem saída, no meio do deserto. Porém, uma missão de reconhecimento revela que Alex simplesmente voltou para o leito agora morto e seco do rio Colorado. Ele descobre outro canal, a cerca de um quilômetro do outro lado do leito do rio. Decide transportar a canoa por terra até esse canal.

McCandless gastou mais de três dias para levar a canoa e suas coisas para o novo canal. No dia 5 de dezembro, anotou em seu diário:

Finalmente! Alex encontra o que acredita ser o canal Wellteco e segue para o sul. Preocupações e temores voltam à medida que o canal vai ficando cada vez mais estreito. [...] Os habitantes locais ajudam-no a carregar o barco para atravessar uma barreira. [...] Alex acha os mexicanos um povo cordial e amistoso. Muito mais hospitaleiros que os americanos. [...]

6/12   Cachoeiras pequenas mas perigosas perturbam o canal.

9/12 Todas as esperanças acabam! O canal não alcança o oceano, mas simplesmente desaparece num vasto pântano. Decide que deve estar perto do oceano e escolhe tentar abrir caminho pelo pântano até o mar. Alex fica cada vez mais perdido a ponto de ter de empurrar a canoa no meio de juncos e puxá-la pela lama. O desespero é grande. Encontra um pouco de terreno seco para acampar no pântano ao entardecer. No dia seguinte, 10/12, Alex retoma a busca de abertura para o mar, mas só fica mais confuso, viajando em círculos. Completamente abatido e frustrado, deita-se na canoa no final do dia e chora. Mas então, por sorte fantástica, encontra guias mexicanos de caça ao pato que falam inglês. Conta-lhes sua história e sua busca do mar. Eles dizem que não há saída para o mar. Mas então um deles concorda em rebocar Alex até seu acampamento [atrás de um pequeno esquife a motor] e leva Alex e a canoa [na carroceria de uma picape] ao oceano. É um milagre.

Os caçadores de patos deixaram-no em El Golfo de Santa Clara, uma vila de pescadores junto ao golfo da Califórnia. Dali McCandless entrou no mar, viajando para o sul pela margem leste do golfo. Tendo atingido seu destino, diminuiu o ritmo e seu ânimo ficou mais contemplativo. Tirou fotografias de uma tarântula, crepúsculos melancólicos, dunas varridas pelo vento, a longa curva da costa vazia. As anotações no diário ficam curtas e superficiais. Escreveu menos de uma centena de palavras no mês seguinte.

A 14 de dezembro, cansado de remar, puxou a canoa para a praia, escalou um penhasco de arenito e montou acampamento na beira de um platô ermo. Ali ficou durante dez dias, até que ventos fortes o forçaram a buscar abrigo numa caverna a meio caminho da parede do penhasco, onde passou outros dez dias. Saudou o ano novo observando a lua cheia enquanto ela subia sobre o *Gran Desierto*: 4400 quilômetros quadrados de dunas cambiantes, a maior extensão de deserto de areia pura na América do Norte. Um dia depois, voltou a remar ao longo do litoral árido.

No dia 11 de janeiro de 1991, a anotação em seu diário começa com "Um dia fatídico". Depois de viajar algum tempo para o sul, abicara a canoa num banco de areia longe da praia para observar as marés poderosas. Uma hora depois, rajadas violentas começaram a soprar do deserto e o vento e a maré conspiravam para levá-lo para alto-mar. A essa altura, a água era um caos de pequenas ondas que ameaçava emborcar e afundar sua modesta embarcação. O vento virou vendaval. As ondas transformaram-se em vagas gigantescas. "Com grande frustração", diz o diário,

ele grita e bate na canoa com o remo. O remo quebra. Alex tem um remo de reserva. Ele se acalma. Se perder o segundo remo está morto. Finalmente, mediante esforço extremo e muito palavrão consegue abicar a canoa num quebra-mar e cai exausto na areia ao anoitecer. Esse incidente faz Alexander decidir abandonar a canoa e voltar para o norte.

A 16 de janeiro, McCandless deixou o atarracado barco de metal num cômoro de areia a sudoeste de El Golfo de Santa Clara e começou a caminhar para o norte pela praia deserta. Não vira nem falara com outra alma por 36 dias. Durante todo aquele período, subsistira com nada mais que dois quilos e pouco de arroz e o que conseguia tirar do mar, uma experiência que o convenceria mais tarde de que poderia sobreviver com rações igualmente magras no mato do Alasca.

Chegou de volta à fronteira dos Estados Unidos a 18 de janeiro. Apanhado pelas autoridades da imigração quando tentava se infiltrar no país sem identificação, passou uma noite em custódia antes de inventar uma história que o tirou da prisão, mas que o deixou sem seu revólver calibre 38, um "belo Colt Python, ao qual era muito afeiçoado".

McCandless passou as seis semanas seguintes atravessando o Sudoeste, indo para leste até Houston e para oeste, até a costa do Pacífico. Para não ser roubado pelos tipos repugnantes que dominam as ruas e viadutos onde dormia, aprendeu a enterrar o dinheiro que tivesse antes de entrar numa cidade, para recuperá-lo ao ir embora. A 3 de fevereiro, segundo seu diário, McCandless foi a Los Angeles "para conseguir uma identidade e um emprego, mas agora se sente extremamente desconfortável na sociedade e deve retornar à estrada imediatamente".

Seis dias depois, acampado no fundo do Grand Canyon com Thomas e Karin, um jovem casal alemão que lhe dera carona, escreveu: "É possível que este seja o mesmo Alex que partiu em julho de 1990? A desnutrição e a estrada fizeram estragos em seu corpo. Mais de dez quilos perdidos. Mas seu espírito está <u>nas alturas</u>".

A 24 de fevereiro, sete meses e meio depois que abandonara o Datsun, McCandless retornou ao Detrital Wash. O Serviço de Parques tinha apreendido havia muito tempo o veículo, mas ele desenterrou suas velhas placas da Virgínia, SJF-421, e alguns pertences que deixara ali. Depois foi de carona para Las Vegas e achou emprego num restaurante italiano. "Alexander enterrou sua mochila no deserto no dia 27/2 e entrou em Las Vegas sem dinheiro nem documento", conta-nos o diário.

Morou nas ruas com vadios, vagabundos e bêbados durante várias semanas. Vegas, no entanto, não seria o fim da história. A 10 de maio, a comichão nos pés voltou e Alex largou seu emprego na cidade de Vegas, recuperou sua mochila e retornou à estrada, embora tenha descoberto que, se você é estúpido o suficiente para enterrar uma câmera, não vai tirar muito mais fotografias depois. Assim, a história não tem álbum de fotos para o período que vai de 10 de maio de 1991 a 7 de janeiro de 1992. Mas isso não é importante. É nas experiências, nas lembranças, na grande e triunfante alegria de viver na mais ampla plenitude que o verdadeiro sentido é encontrado. Meu Deus, como é bom estar vivo! Obrigado. Obrigado.

5

BULLHEAD CITY

A besta primordial dominante era forte em Buck e, sob as violentas condições da vida na trilha, ele cresceu e cresceu. Contudo, era um crescimento secreto. Sua nova sagacidade deu-lhe aprumo e controle.

JACK LONDON
O CHAMADO DA FLORESTA

*Salve a Besta Primordial Dominante!
E o Capitão Ahab Também!
Alexander Supertramp
Maio de 1992*

GRAFITE ENCONTRADO DENTRO DO ÔNIBUS
ABANDONADO NA STAMPEDE TRAIL

Quando sua câmera estragou e parou de tirar fotos, McCandless parou também de escrever um diário, prática que só retomaria ao ir para o Alasca, no ano seguinte. Portanto, não se sabe muito sobre onde andou depois de sair de Las Vegas, em maio de 1991.

Com base em uma carta que mandou para Jan Burres, sabemos que passou julho e agosto na costa do Oregon, provavelmente nas imediações de Astoria, onde se queixou de que "o fog e a chuva eram frequentemente intoleráveis". Em setembro, desceu de carona pela rodovia 101 até a Califórnia, depois foi para leste e entrou no deserto de novo. E no início de outubro, baixou em Bullhead City [Cabeça de Touro], Arizona.

Bullhead City é uma comunidade, no sentido contraditório do final do século XX. Sem um centro discernível, a cidade não passa de um esparramo fortuito de subdivisões e centros comerciais de beira de estrada que se estendem por treze ou catorze quilômetros ao longo das margens do rio Colorado, exatamente do lado oposto ao dos cassinos e grandes hotéis de Laughlin, Nevada. O traço cívico que distingue Bullhead é a rodovia Mohave Valley, quatro pistas de asfalto ladeadas de postos de gasolina e lanchonetes, quiropráticos e lojas de vídeo, lojas de acessórios e peças de automóvel e armadilhas para turistas.

À primeira vista, não parece o tipo de lugar que atrairia um adepto de Thoreau e Tolstoi, um ideólogo que não expressava senão desprezo pelos adereços burgueses da sociedade americana. Porém, McCandless simpatizou muito com Bullhead. Talvez fosse sua afinidade com o lúmpen, que estava bem representado nos campos de trailers, acampamentos e lavanderias automáticas da comunidade; talvez ele simplesmente tivesse se apaixonado pela paisagem árida do deserto que circunda a cidade.

De qualquer modo, quando chegou a Bullhead, McCandless parou por mais de dois meses — provavelmente sua estada mais longa em um lugar desde que deixou Atlanta até ir para o Alasca e instalar-se no ônibus abandonado da Stampede Trail. Em um cartão que mandou para Westerberg em outubro, diz de Bullhead: "É um bom lugar para passar o inverno e eu talvez acabe me fixando e abandone minha vida de vagabundagem, para sempre. Verei o que acontece quando a primavera chegar, pois é quando tendo a ter realmente comichão nos pés".

Na época em que escreveu essas palavras, tinha um emprego de tempo integral manuseando lanches Quarterão no McDonald's da rua principal e ia para o trabalho de bicicleta. Aparentemente, estava levando uma vida surpreendentemente convencional, a ponto de abrir uma conta de poupança num banco local.

Curiosamente, quando se candidatou ao emprego no McDonald's, apresentou-se não como Alex, mas como Chris McCandless, e deu aos empregadores seu verdadeiro número da Previdência Social. Foi um rompimento atípico com seu disfarce que poderia ter alertado com facilidade seus pais sobre seu paradeiro. Mas o lapso não teve consequências porque o detetive particular contratado por Walt e Billie nunca descobriu o deslize.

Dois anos depois de ter suado em cima da chapa em Bullhead, seus colegas dos arcos dourados não lembram muito de Chris McCandless. "Uma coisa que lembro é que tinha um problema com meias", diz o gerente-assistente, um homem roliço e loquaz chamado George Dreeszen. "Ele usava sempre sapatos sem meias — simplesmente não *suportava* usar meias. Mas o McDonald's tem uma regra que diz que os empregados devem usar sempre calçados apropriados. Isso significa sapatos e meias. Chris obedecia à regra, mas assim que seu turno acabava, bang! — a primeira coisa que fazia era arrancar as meias. Era a primeira coisa mesmo. Como se fosse uma declaração, para que a gente soubesse que não éramos donos dele, suponho. Mas era um garoto legal e um bom trabalhador. Bem confiável."

Lori Zarza, a segunda gerente-assistente, tem uma impressão um pouco diferente de McCandless. "Francamente, me surpreendi que ele chegasse a ser contratado. Ele era capaz de fazer o trabalho — cozinhava nos fundos —, mas trabalhava sempre no mesmo ritmo lento, mesmo durante o rush do almoço, por mais que você insistisse para ele andar mais depressa. Os clientes faziam fila de dez no balcão e ele não entendia por que eu pegava no seu pé. Simplesmente não fazia a conexão. Era como se estivesse fora, em seu universo próprio.

"Mas era confiável, um indivíduo que aparecia todos os dias, então eles não ousavam despedi-lo. Pagavam apenas 4,25 por hora e, com todos os cassinos do outro lado do rio pagando 6,25, bem, era difícil manter gente atrás do balcão.

"Não acho que alguma vez tenha saído com os outros empregados depois do trabalho ou coisa assim. Quando conversava, falava sem parar sobre árvores, natureza e coisas esquisitas do tipo. Todos achávamos que ele tinha alguns parafusos a menos.

"Quando Chris por fim se demitiu", admite Zarza, "foi provavelmente por minha causa. Quando começou a trabalhar, não tinha casa e vinha para o serviço cheirando mal. Não combina com os padrões do McDonald's vir cheirando do jeito que ele vinha. Assim, eles acabaram me pedindo para lhe dizer que precisava tomar banho mais frequentemente. Desde que falei isso, houve um choque entre nós. E aí os outros empregados — estavam tentando apenas ser legais — começaram a perguntar se ele precisava de sabonete ou qualquer coisa. Isso deixou Chris bravo, dava para ver. Mas nunca demonstrou isso abertamente. Umas três semanas depois, simplesmente saiu porta afora e largou o emprego."

McCandless tentara disfarçar o fato de que era um nômade vivendo com uma mochila. Disse a seus colegas de emprego que estava morando do outro lado do rio, em Laughlin. Sempre que lhe ofereciam uma carona para casa depois do trabalho, apresentava desculpas e agradecia polidamente. Na verdade, durante as primeiras semanas em Bullhead, McCandless acampou no deserto, na orla da cidade; depois, passou para um trailer desocupado. Esse último arranjo, explicou numa carta para Jan Burres, "aconteceu desta maneira":

> Certa manhã, eu estava me barbeando num banheiro quando um velho entrou e, observando-me, perguntou se eu estava "dormindo fora". Eu disse que sim e no fim ele tinha um trailer velho onde eu poderia ficar de graça. O único problema é que ele, de fato, não é o dono. Os donos ausentes estão simplesmente deixando que ele more nas terras deles, em outro trailer pequeno. Assim, tenho de manter as coisas meio na moita e não aparecer, porque ele oficialmente não deve trazer ninguém para cá. Mas é mesmo um arranjo bastante bom, pois o interior do trailer é legal, é uma casa, mobiliada, com algumas tomadas funcionando e muito espaço. O único problema é que esse cara velho, cujo nome é Charlie, é um tanto lunático e às vezes bastante difícil de conviver.

Charlie ainda mora no mesmo endereço, num pequeno trailer em forma de lágrima, revestido de folha de flandres salpicada de ferrugem, sem esgoto nem eletricidade, enfiado atrás do trailer azul e branco, muito maior, em que McCandless dormia. Montanhas nuas são visíveis a oeste, erguendo-se acima dos telhados dos trailers duplos vizinhos. Um Ford Torino azul-bebê repousa sobre tijolos no quintal abandonado, com a vegetação brotando de seu motor. O cheiro forte de amônia da urina humana exala de uma cerca viva de oleandros nas proximidades.

"Chris? Chris?", Charlie repete, perscrutando os escaninhos de sua memória. "Ah, sim, aquele. Sim, sim, eu lembro dele, com certeza." Charlie, vestindo uma blusa de moletom e calças de trabalho cáqui, é um homem frágil, nervoso, com olhos remelentos e um tufo de barba branca por fazer no queixo. Pelo que lembra, McCandless ficou no trailer cerca de um mês. "Um cara legal, sabe, um cara bem legal. Mas não gostava de andar com muita gente. Temperamental. Bom sujeito, mas acho que tinha um monte de complexos, sabe como é? Gostava de ler livros daquele cara do Alasca, Jack London. Nunca falava muito. Era meio de lua, não gostava de ser incomodado. Parecia um garoto que estava buscando alguma coisa, buscando *alguma* coisa, só não sabia o que era. Eu fui assim também, mas depois percebi o que estava procurando: dinheiro! Ha! Ha! Ha! Essa é boa!

"Mas como eu estava dizendo, Alasca — é, ele falava em ir para o Alasca. Quem sabe para encontrar o que quer que estivesse procurando. Cara legal, parecia, pelo menos. Mas tinha um monte de complexos, às vezes. Pra valer. Quando foi embora, perto do Natal, me deu cinquenta paus e um maço de cigarros por eu ter deixado que ficasse aqui. Achei que foi muito decente da parte dele."

No final de novembro, McCandless mandou um cartão para Jan Burres aos cuidados de uma caixa postal em Niland, uma pequena cidade no vale Imperial da Califórnia. "Aquele cartão que recebemos em Niland foi a primeira carta dele em muito tempo que tinha um endereço de remetente", lembra Burres. "Então respondi imediatamente e disse que iríamos visitá-lo no fim de semana seguinte em Bullhead, que não ficava longe de onde estávamos."

McCandless vibrou ao ter notícias de Jan. "Estou tão contente de achar vocês dois vivos e saudáveis", exclamou numa carta datada de 9 de dezembro de 1991.

Muitíssimo obrigado pelo cartão de Natal. É legal ser lembrado nesta época do ano. [...] Estou tão emocionado de saber que vocês vêm me ver, vocês são bem-vindos sempre. É realmente ótimo pensar que, depois de quase um ano e meio, vamos nos encontrar de novo.

Ele encerrou a carta desenhando um mapa e dando instruções detalhadas para encontrar o trailer na Baseline Road, em Bullhead City.

Porém, quatro dias depois de receber essa carta, quando Jan e seu namorado Bob estavam se preparando para viajar, Burres voltou uma noite a seu acampamento e encontrou "uma grande mochila encostada na nossa van. Reconheci que era a de Alex. Nossa cadelinha Sunni farejou-o antes de mim. Ela gostava de Alex, mas me surpreendi que ainda se lembrasse dele. Quando o encontrou, ficou maluca". McCandless explicou a Burres que cansara de Bullhead, de bater o ponto, da "gente de plástico" com quem trabalhava e decidira cair fora da cidade.

Jan e Bob estavam a cinco quilômetros de Niland, num lugar que o pessoal dali chama de As Lajes, uma antiga base aérea da marinha que foi abandonada e demolida, deixando uma malha vazia de alicerces de concreto espalhados pelo deserto. Quando chega novembro, com o tempo ficando frio no resto do país, cerca de 5 mil migrantes de inverno, sem-destinos e vagabundos variados, congregam-se naquele cenário fantasmagórico em busca de sol e vida barata. As Lajes funcionam como capital sazonal de uma numerosa sociedade errante — uma cultura sobre pneus tolerante, que congrega aposentados, exilados, destituídos, eternos desempregados. Seus membros são homens, mulheres e crianças de todas as idades, gente esquivando-se de órgãos arrecadadores, das relações azedas com a lei ou o imposto de renda, dos invernos de Ohio, da rotina da classe média.

Quando McCandless chegou às Lajes, uma enorme feira livre e mercado de trocas estava funcionando a todo o vapor no deserto. Burres tinha montado umas bancas dobráveis com artigos baratos, a maioria de segunda mão, e McCandless ofereceu-se para cuidar de sua grande quantidade de livros usados.

"Ele me ajudou bastante", reconhece Burres. "Cuidava da banca quando eu precisava sair, classificou todos os livros, fez muitas vendas. Parecia se divertir realmente com aquilo. Alex era bom nos clássicos: Dickens, H. G. Wells, Mark Twain, Jack London. London era o seu predileto. Tentava convencer todo mundo a ler *O chamado da floresta.*"

McCandless era apaixonado por London desde criança. Sua condenação veemente da sociedade capitalista, sua glorificação do mundo primordial, sua defesa da plebe, tudo isso refletia as paixões de McCandless. Hipnotizado pelo retrato grandiloquente que London fazia da vida no Alasca e no Yukon, McCandless lia e relia *O chamado da floresta*, *Caninos brancos*, "Acender o fogo", "Uma odisseia do Norte", "A perspicácia de Porportuk". Porém, estava tão fascinado por essas histórias que parecia esquecer que eram obras de ficção, construções da imaginação que tinham mais a ver com a sensibilidade romântica de London do que com as realidades da vida na região subártica. McCandless esquecia convenientemente que o próprio London passara apenas um inverno no Norte e que se suicidara em sua fazenda da Califórnia aos quarenta anos, bêbado delirante, obeso e patético, levando uma vida sedentária que pouco tinha a ver com os ideais que defendia no papel.

Entre os moradores das Lajes de Niland estava uma garota de dezessete anos chamada Tracy que se apaixonou por McCandless durante sua estada de uma semana. "Ela era uma coisinha querida", diz Burres, "filha de um casal de vagabundos que estacionou seus quatro carros perto de nós. E a pobre Tracy ficou irremediavelmente apaixonada por Alex. O tempo todo que ele esteve em Niland ela ficou rodeando, lançando olhares derretidos, me enchendo para que eu o convencesse a passear com ela. Alex foi legal com Tracy, mas ela era menina demais para ele. Não conseguia levá-la a sério. Provavelmente a deixou de coração partido durante pelo menos uma semana inteira."

Embora McCandless rejeitasse os avanços de Tracy, Burres deixa claro que ele não era nenhum recluso: "Ele se divertia bastante quando estava com outras pessoas, divertia-se *mesmo*. No mercado de trocas, conversava, conversava e conversava com as pessoas que chegavam. Deve ter conhecido umas sessenta ou setenta pessoas em Niland e era simpático com todas. De vez em quando, precisava de sua solidão, mas não era um eremita. Fazia muitas relações sociais. Às vezes penso que era como se estivesse armazenando companhia para os momentos em que sabia que não haveria ninguém por perto".

McCandless era especialmente atencioso com Burres, brincando com ela e fazendo palhaçadas a toda hora. "Ele gostava de me provocar e me atormentar", relembra ela. "Eu saía para pendurar roupas atrás do trailer e ele me enchia de prendedores de roupa. Era brincalhão, como uma criança. Eu tinha filhotes de cachorro e ele estava sempre pondo os cachorrinhos embaixo da cesta de roupa para vê-los pular e ganir. Fazia isso até eu ficar brava e gritar para que parasse. Mas, na verdade, era realmente bom para os cães. Andavam atrás dele, choravam por ele, queriam dormir com ele. Alex tinha mesmo jeito com animais."

Uma tarde, enquanto McCandless cuidava da banca de livros, alguém deixou um órgão elétrico em consignação com Burres. "Alex pegou o instrumento e divertiu todo mundo tocando o dia todo. Tinha uma voz surpreendente. Atraiu um bocado de gente. Até então, não sabia que ele tinha jeito para a música."

McCandless falava frequentemente aos ocupantes das Lajes sobre seus planos de ir ao Alasca. Fazia calistenia todas as manhãs para ficar em forma para os rigores da floresta e discutia longamente estratégias de sobrevivência no mato com Bob, um suposto entendido no assunto.

Diz Burres: "De minha parte, achava que Alex tinha perdido a cabeça quando nos contou sobre sua 'grande odisseia alasquiana', como ele a chamava. Mas estava realmente entusiasmado com ela. Não parava de falar sobre a viagem".

McCandless não revelava quase nada sobre sua família, apesar das indiretas de Burres. "Eu perguntava a ele: 'Contou para seu pessoal o que você pretende fazer? Sua mãe sabe que você vai para o Alasca? Seu pai sabe?'. Mas ele nunca respondia. Revirava os olhos, ficava irritado, dizia para eu deixar de querer ser sua mãe. E Bob dizia: 'Deixe-o em paz! Ele é um homem crescido!'. Mas eu insistia até que ele mudava de assunto — por causa do que aconteceu entre mim e meu filho. Ele está por aí, em algum lugar, e eu gostaria que alguém cuidasse dele como tentei cuidar de Alex."

No domingo anterior à sua partida de Niland, Alex estava assistindo a uma final de futebol americano na televisão do trailer de Burres quando ela percebeu que ele torcia para os Redskins de Washington. "Perguntei-lhe então se era da região do D.C. E ele respondeu: 'Sim, na verdade sou'. Foi a única vez que deixou escapar alguma coisa sobre seu passado."

Na quarta-feira seguinte, McCandless anunciou que estava na hora de ir adiante. Disse que precisava ir ao correio em Salton City, oitenta quilômetros a oeste de Niland, para cuja posta-restante pedira que o gerente do McDonald's de Bullhead mandasse seu último pagamento. Aceitou a oferta de Burres de levá-lo até lá, mas quando ela tentou lhe dar algum dinheiro por tê-la ajudado no mercado de trocas "ele ficou realmente ofendido. Eu lhe disse: 'Cara, você precisa de dinheiro para se dar bem neste mundo'. Mas ele não quis saber. Finalmente, consegui que levasse uns canivetes suíços e umas facas de cinto; convenci-o de que seriam úteis no Alasca e que talvez pudesse trocá-los por algo no caminho".

Depois de uma longa discussão, Burres conseguiu também que McCandless aceitasse algumas roupas de baixo compridas e outros agasalhos que achava que ele iria precisar no Alasca. "Acabou ficando com as coisas para que eu calasse a boca", ri Burres, "mas um dia depois que partiu encontrei a maior parte delas na van. Tirou da mochila quando não estávamos vendo e escondeu embaixo do banco. Alex era um grande garoto, mas às vezes era capaz de me deixar realmente furiosa."

Embora estivesse preocupada com McCandless, supunha que ele sairia inteiro daquilo. "Achava que ele acabaria bem", reflete ela. "Era esperto. Descobrira como descer de canoa até o México, como pegar carona escondido em trens de carga, como descolar uma cama nas cidades. Descobrira tudo isso por si mesmo e eu tinha certeza de que ia encontrar a solução para o Alasca também."

6
ANZA-BORREGO

Nenhum homem jamais seguiu sua índole a ponto de esta extraviá-lo. Embora o resultado fosse fraqueza física, ainda assim talvez ninguém pudesse dizer que as consequências eram lamentáveis, já que representariam a vida em conformidade com princípios mais elevados. Se o dia e a noite são de tal forma que vós os saudais com alegria, se a vida emite uma fragrância de flores e ervas aromáticas e se torna mais elástica, mais cintilante e mais imortal — eis aí o vosso êxito. A natureza inteira é vossa congratulação e tendes motivos terrenos para bendizer-vos. Os maiores lucros e valores estão ainda mais longe de ser apreciados. Chegamos facilmente a duvidar de que existam. Logo os esquecemos. Constituem, entretanto, a realidade mais elevada. […] A verdadeira colheita de meu dia a dia é algo de tão intangível e indescritível quanto os matizes da aurora e do crepúsculo. O que tenho na mão é um pouco da poeira das estrelas e um fragmento do arco-íris.

Henry David Thoreau
Walden, ou a vida nos bosques*
Trecho sublinhado em um dos livros encontrados com os restos mortais de Chris McCandless

(*) Para as citações de *Walden*, utilizou-se a tradução de Astrid Cabral, Global Editora, 1984. (N. T.)

No dia 4 de janeiro de 1993, o autor recebeu uma carta incomum, numa escrita trêmula e anacrônica que indicava um remetente idoso.

"A quem interessar possa", começava a carta,

Gostaria de obter um exemplar da revista que publicou a história do rapaz (Alex McCandless) que morreu no Alasca. Gostaria de escrever para quem investigou o incidente. Eu o levei de Salton City Calif.... em março de 1992... a Grand Junction Co.... Deixei Alex lá para pegar carona para D. S. Ele disse que ficaria em contato. A última vez que tive notícias dele foi uma carta na primeira semana de abril de 1992. Em nossa viagem, tiramos retratos, eu com a câmera de vídeo + Alex com sua câmera. Se vocês tiverem um exemplar daquela edição, por favor me mandem ao custo daquela revista...
Eu fiquei sabendo que ele estava ferido. Se for assim, gostaria de saber como ele se feriu, pois sempre levava consigo arroz suficiente em sua mochila + tinha roupas para o ártico + bastante dinheiro.

Atenciosamente
Ronald A. Franz

Por favor, não ponham esses fatos à disposição de qualquer um até que eu saiba mais sobre sua morte, pois ele não era simplesmente um andarilho comum. Por favor, acreditem em mim.

A revista que Franz pedia era a edição de janeiro de 1993 da *Outside*, que trazia uma reportagem de capa sobre a morte de Chris McCandless. Sua carta fora enviada ao escritório da revista em Chicago; como era eu o autor da matéria, ela me foi encaminhada.

Durante sua fuga, McCandless deixou uma impressão indelével em várias pessoas, a maioria das quais passou somente poucos dias em sua companhia, no máximo uma semana ou duas. Porém, ninguém foi afetado de forma tão forte pelo breve contato com o rapaz quanto Ronald Franz, que tinha oitenta anos de idade quando seus caminhos se cruzaram, em janeiro de 1992.

Depois de se despedir de Jan Burres no correio de Salton City, ele caminhou até o deserto e montou acampamento numa moita de creosoto na orla do parque estadual do deserto de Anza-Borrego. Perto dali fica o mar de Salton, um oceano em miniatura, com sua superfície mais de sessenta metros abaixo do nível do mar, criado em 1905 por uma enorme confusão de engenharia. Não muito depois que se abriu um canal a partir do rio Colorado para irrigar as terras aráveis do vale Imperial, o rio rompeu suas margens durante uma série de grandes enchentes, cavou um canal novo e começou a jorrar sem parar no canal do vale Imperial. Por mais de dois anos o canal desviou quase todo o seu fluxo prodigioso para a depressão de Salton. A água tomou o leito outrora seco da depressão, inundando fazendas e povoações, acabando por cobrir mil quilômetros quadrados de deserto e dando origem a um mar interior.

A apenas oitenta quilômetros das limusines, dos clubes de tênis exclusivos e canais verdejantes de Palm Springs, a margem ocidental do mar de Salton foi outrora objeto de intensa especulação imobiliária. Planejaram-se ricos balneários, lotearam-se grandes pedaços de terra. Mas pouco do desenvolvimento prometido aconteceu de fato. Atualmente, a maioria dos lotes permanece vaga e está sendo retomada gradualmente pelo deserto. Rolos de ervas e arbustos secos varrem os bulevares largos e desolados de Salton City. Cartazes desbotados de VENDE-SE alinham-se nas calçadas e a tinta descasca nos prédios desabitados. Uma placa na janela da Companhia de Desenvolvimento Imobiliário de Salton City declara FECHADO/CERRADO. A quietude espectral só é rompida pelo assobio do vento.

Distante da margem do lago, o terreno eleva-se suavemente e depois de forma abrupta, para formar o dessecado e fantasmagórico deserto de Anza-Borrego. A *bajada* adiante do deserto é terreno aberto, cortado por arroios de margens íngremes. Ali, num aclive baixo, sob sol inclemente, pontilhado de cactos gigantes, moitas de indigueiro e troncos de *ocotillo* de três metros e meio, McCandless dormiu sobre a areia, sob uma lona pendurada num galho de creosoto.

Quando precisava de provisões, pegava carona ou caminhava os seis quilômetros até a cidade, onde comprava arroz e enchia seu garrafão de plástico de água no correio-mercado-loja de bebidas, um prédio bege de estuque que funciona como vínculo cultural com a grande Salton City. Certa quinta-feira de janeiro, McCandless estava caminhando de volta para a *bajada* depois de encher seu garrafão quando um velho chamado Ron Franz parou para dar-lhe carona.

"Onde é o seu acampamento?", perguntou Franz.

"Depois das Fontes Quentes Oh-Meu-Deus", respondeu McCandless. "Moro nesta região há seis anos e nunca ouvi falar de um lugar com esse nome. Mostre-me como chegar lá."

Andaram de carro alguns minutos pela estrada Borrego—Salton e então McCandless disse-lhe para virar à esquerda e entrar no deserto, onde uma trilha grosseira de 4 por 4 serpenteava por um leito seco e estreito. Depois de mais ou menos um quilômetro e meio chegaram a um acampamento bizarro, onde umas duzentas pessoas tinham se reunido para passar o inverno fora de seus carros. A comunidade era uma visão da América pós-apocalipse. Havia famílias abrigadas em barracas baratas, hippies envelhecidos em vans Day--Glo, gente com cara de Charles Manson dormindo em Studebakers enferrujados que não rodavam desde os tempos de Eisenhower na Casa Branca. Um número substancial dos presentes circulava totalmente nu. No centro do acampamento, a água de um poço geotérmico fora canalizada para um par de piscinas rasas, fumegantes, forradas de pedras e protegidas pelas sombras de palmeiras: Fontes Quentes Oh-Meu-Deus.

Mas McCandless não estava morando ali nas fontes: estava acampado sozinho uns oitocentos metros adiante, na *bajada*. Franz levou Alex até lá, conversou um pouco com ele e depois retornou à cidade, onde vivia sozinho, sem pagar aluguel, em troca de zelar por um prédio de apartamentos em ruínas.

Cristão devoto, Franz passara boa parte de sua vida adulta no exército, estacionado em Xangai e Okinawa. Na véspera do ano-novo de 1957, quando estava longe, sua esposa e seu filho único foram mortos por um motorista bêbado num acidente de automóvel. O filho de Franz ia se formar em medicina no mês de junho seguinte. Franz começou a beber uísque, muito.

Seis meses depois, conseguiu juntar os cacos e parou de beber subitamente, mas nunca conseguiu superar de fato a perda. Para suavizar sua solidão nos anos posteriores ao acidente, começou a "adotar" não oficialmente meninos e meninas indigentes de Okinawa, acabando por ter catorze deles sob suas asas, pagando para que o mais velho frequentasse a escola de medicina em Filadélfia e para que outro estudasse a mesma coisa no Japão.

Quando Franz encontrou McCandless, seus impulsos paternais há muito adormecidos despertaram novamente. Não podia tirar o rapaz da cabeça. Ele dissera que seu nome era Alex — evitara dar sobrenome — e que vinha da Virgínia Ocidental. Era polido, simpático, bem tratado.

"Parecia extremamente inteligente", afirma Franz com um sotaque exótico que parece uma mistura de fala arrastada escocesa, da Carolina, e holandês da Pensilvânia. "Achei que era um garoto fino demais para estar morando naquelas fontes quentes com aqueles nudistas, bêbados e maconheiros." Depois de ir à igreja no domingo, Franz decidiu conversar com Alex "sobre como ele estava vivendo. Alguém precisava convencê-lo a adquirir instrução e um emprego e fazer algo de sua vida".

Contudo, quando voltou ao acampamento de McCandless e começou sua arenga sobre autoaperfeiçoamento, Alex interrompeu-o abruptamente: "Olhe, sr. Franz, não precisa se preocupar comigo. Tenho instrução superior. Não sou miserável. Estou vivendo assim por opção". E depois, apesar de sua reação arisca inicial, o rapaz ficou mais cordial com o veterano e os dois travaram uma longa conversa. Antes de o dia terminar, tinham ido a Palm Springs no carro de Franz, jantado num bom restaurante e andado no bonde que leva ao topo do pico São Jacinto, em cuja base McCandless parou para desenterrar um poncho mexicano e outras coisas que tinha escondido por segurança um ano antes.

Nas semanas seguintes, McCandless e Franz passaram bastante tempo juntos. O rapaz ia regularmente a Salton City para lavar sua roupa e comer bifes grelhados no apartamento de Franz. Confidenciou que estava dando um tempo até a primavera, quando pretendia ir ao Alasca iniciar uma "aventura definitiva". Ele também virou a mesa e começou a dar sermões ao vovô sobre as imperfeições de sua existência sedentária, instigando o velho de oitenta anos a vender a maioria de suas coisas, sair do apartamento e viver na estrada. Franz não se perturbava com essas arengas e, na verdade, se deliciava com a companhia do garoto.

Consumado artesão de couro, Franz ensinou a Alex os segredos de sua arte. Para seu primeiro projeto, McCandless produziu um cinto de couro gravado a ferro quente com imagens que registravam com engenhosidade suas andanças. Na ponta do cinto está inscrito *ALEX*; depois, as iniciais *C. J. M.* (de Christopher Johnson McCandless) enquadram uma caveira com ossos cruzados. Ao longo da tira de couro de vaca, vê-se a representação de uma estrada de pista dupla, um sinal de retorno proibido, uma tempestade que produz uma enchente que engolfa um carro, o polegar de um caroneiro, uma águia, a sierra Nevada, um salmão saltando no Pacífico, a rodovia da costa do Pacífico de Oregon a Washington, as montanhas Rochosas, campos de trigo de Montana, uma cascavel de Dakota do Sul, a casa de Westerberg em Cartago, o rio Colorado, um vendaval no golfo da Califórnia, uma canoa abicada ao lado de uma barraca, Las Vegas, as iniciais *T. C. D.*, morro Bay, Astoria, e na ponta da fivela, finalmente, a letra *N* (representando supostamente o norte). Feito com habilidade e criatividade notáveis, esse cinto é tão espantoso quanto qualquer artefato que Chris McCandless deixou para trás.

Franz gostava cada vez mais de McCandless. "Meu Deus, como ele era inteligente", o velhote grasna com voz quase inaudível. Enquanto diz isso, dirige o olhar para a areia no chão, entre seus pés; então para de falar. Inclina-se com dificuldade e sacode uma poeira imaginária da perna das calças. Suas juntas de ancião estalam alto no silêncio constrangedor.

Mais de um minuto se passa até que Franz fale de novo. Olhando com olhos semicerrados o céu, começa a lembrar mais sobre o tempo que passou na companhia do rapaz. Não era raro em suas visitas que a face de McCandless ficasse rubra de raiva enquanto vituperava contra seus pais, os políticos ou a idiotia endêmica do modo de vida dominante americano. Preocupado em não afastar o menino, Franz pouco falava nesses rompantes e deixava-o despejar a arenga.

Certo dia, no início de fevereiro, McCandless anunciou que ia embora para San Diego, a fim de ganhar mais dinheiro para sua viagem ao Alasca.

"Você não precisa ir a San Diego", protestou Franz. "Eu lhe darei dinheiro se precisar de algum."

"Não. Você não entendeu. Eu *vou* para San Diego. Estou partindo segunda-feira."

"O.k. Eu levo você."

"Não seja ridículo", McCandless zombou.

"De qualquer modo, preciso ir para pegar um suprimento de couro", mentiu Franz.

McCandless cedeu. Desmontou o acampamento, guardou a maior parte de suas coisas no apartamento de Franz — não queria andar carregando o saco de dormir ou a mochila pela cidade — e depois foi com o velho para a costa. Estava chovendo quando Franz deixou McCandless no cais de San Diego. "Foi uma coisa muito difícil para eu fazer", diz Franz. "Eu estava triste de deixá-lo."

A 19 de fevereiro, McCandless telefonou a cobrar para Franz, desejando-lhe feliz 81º aniversário. Lembrara a data porque seu próprio aniversário fora sete dias antes: completara 24 anos no dia 12 de fevereiro. Nesse telefonema, confessou também a Franz que estava tendo dificuldades para arranjar emprego.

A 28 de fevereiro, mandou um postal para Jan Burres. "Olá!", diz ele,

Tenho vivido nas ruas de San Diego desde a última semana. No primeiro dia que cheguei aqui choveu como o diabo. As missões aqui enchem o saco e estão me doutrinando até a morte. Não tem muita coisa acontecendo em termos de emprego, então vou para o Norte amanhã.

Decidi partir para o Alasca não depois de 1º de maio, mas preciso levantar um pouco de grana para me equipar. Talvez volte a trabalhar para um amigo que tenho em Dakota do Sul, se tiver lugar para mim. Não sei para onde vou agora, mas escreverei quando chegar lá. Espero que esteja tudo bem com vocês. CUIDE-SE, ALEX.

A 5 de março, McCandless mandou outro cartão para Burres e um postal para Franz também. A carta para Burres diz:

Saudações de Seattle! Agora sou um vagabundo dos trilhos! É isso aí, agora estou andando de trem. Como é divertido, queria ter aprendido a pular em trens mais cedo. Mas os trilhos têm alguns inconvenientes. Primeiro, você fica absolutamente imundo. Segundo, você precisa se virar com aqueles guardas malucos. Eu estava sentado numa boa pedida em L. A. quando um meganha me achou com sua lanterna por volta das dez da noite. "Cai fora daí antes que eu mate você!", gritou ele. Saí e vi que estava empunhando um revólver. Interrogou-me de arma apontada, depois rosnou: "Se eu vir você de novo em volta deste trem, eu mato você! Cai fora!". Que lunático! Eu ri por último quando peguei o mesmo trem cinco minutos depois e fui até Oakland. Ficarei em contato, ALEX.

Uma semana depois, o telefone de Franz tocou. "Era a telefonista perguntando se eu aceitaria uma ligação a cobrar de alguém chamado Alex. Quando ouvi sua voz, foi como o sol depois de um mês de chuva."

"Você pode me apanhar?", perguntou McCandless.

"Sim. Em que lugar de Seattle você está?"

McCandless riu. "Ron, não estou em Seattle. Estou na Califórnia, numa estrada perto de você, em Coachella." Sem conseguir trabalho no Noroeste chuvoso, ele pegara vários trens de carga para voltar ao deserto. Em Colton, Califórnia, foi descoberto por outro meganha e jogado na prisão. Depois de solto, pegara carona até Coachella, perto de Palm Springs, e telefonara para Franz. Assim que largou o telefone, Franz saiu correndo para pegar McCandless.

"Fomos a um Sizzler, onde o empanturrei de filé e lagosta, e depois voltamos para Salton City."

McCandless disse que ficaria apenas um dia, o suficiente para lavar suas roupas e carregar a mochila. Soubera por Wayne Westerberg que havia um emprego esperando por ele no elevador de cereais de Cartago e estava ansioso para chegar lá. A data era 11 de março, uma quarta-feira, e Franz ofereceu-se para levar McCandless até Grand Junction, Colorado, que era o mais longe que podia ir para não perder um compromisso em Salton City na segunda-feira seguinte. Para surpresa e alívio de Franz, McCandless aceitou a oferta sem discutir.

Antes de partir, Franz deu ao rapaz um machete, uma parca ártica, uma vara de pesca desmontável e alguns outros equipamentos para sua aventura no Alasca. Na madrugada de quinta-feira, saíram de Salton City. Em Bullhead City, pararam para fechar a conta bancária de McCandless e visitar o trailer de Charlie, onde o rapaz tinha guardado alguns livros e outros pertences, inclusive o diário-álbum de fotos de sua viagem de canoa descendo o Colorado. McCandless insistiu então em oferecer um almoço a Franz no Golden Nugget Casino, do outro lado do rio, em Laughlin. Reconhecendo-o, uma garçonete do lugar foi efusiva: "Alex! Alex! Você voltou!".

Franz comprara uma câmera de vídeo antes da viagem e parava de vez em quando durante a viagem para filmar a paisagem. Embora McCandless se escondesse quase sempre que Franz lhe apontava as lentes, existem algumas cenas dele de pé sobre a neve, acima do Bryce Canyon. "O.k., vamos embora", ele protesta para a *camcorder* depois de alguns segundos. "Tem muita estrada pela frente, Ron." De jeans e suéter de lã, McCandless parece bronzeado, forte, saudável.

Franz conta que foi uma viagem agradável, embora apressada. "Às vezes, dirigíamos horas sem dizer palavra. Mesmo quando ele estava dormindo, eu estava contente só de saber que ele estava ali." A certa altura, Franz ousou fazer um pedido especial para McCandless. Ele explica: "Minha mãe era filha única. Meu pai também. E eu fui o único filho deles. Agora que meu menino está morto, sou o fim da linha. Quando eu me for, minha família vai acabar, para sempre. Então pedi a Alex se eu podia adotá-lo, se ele seria meu neto".

McCandless, pouco à vontade com o pedido, esquivou-se: "Falaremos disso quando eu voltar do Alasca, Ron".

A 14 de março, Franz deixou McCandless no acostamento da Interestadual 70, perto de Grand Junction, e voltou para o sul da Califórnia. McCandless estava entusiasmado por estar a caminho do Norte e aliviado também — aliviado por ter novamente escapado da ameaça iminente de intimidade humana, de amizade, e toda a complicada carga emocional que vem com isso. Ele fugira dos limites claustrofóbicos de sua família. Tivera sucesso em manter Jan Burres e Wayne Westerberg a certa distância, afastando-se de suas vidas antes que esperassem alguma coisa dele. E agora escapulira também sem dor da vida de Ron Franz.

Sem dor na perspectiva de McCandless, mas não na do velhote. Só podemos especular sobre os motivos de Franz ter se ligado tanto a McCandless tão depressa, mas a afeição que sentia era genuína, intensa e pura. Franz vinha levando uma vida solitária havia muitos anos. Não tinha família e eram poucos seus amigos. Homem disciplinado, autoconfiante, saía-se muito bem, apesar da idade e da solidão. Porém, quando entrou em seu mundo, McCandless minou suas defesas meticulosamente construídas. Franz apreciava a companhia do rapaz, mas sua amizade florescente também o lembrava de quanto era solitário. O garoto revelou o vazio na vida de Franz mesmo ao ajudá-lo a preenchê--lo. Quando McCandless partiu, tão repentinamente quanto chegara, Franz sentiu-se profunda e inesperadamente machucado.

No início de abril, chegou uma longa carta à caixa postal de Franz, com um carimbo de Dakota do Sul. "Alô, Ron", diz ela,

Aqui é Alex. Estou trabalhando há quase duas semanas aqui em Cartago, Dakota do Sul. Cheguei três dias depois que nos separamos em Grand Junction, Colorado. Espero que tenha voltado para Salton City sem muitos problemas. Gosto de trabalhar aqui e as coisas vão bem. O tempo não está muito ruim e muitos dias são surpreendentemente amenos. Alguns dos agricultores já estão até indo para os campos. Deve estar ficando bem quente aí no sul da Califórnia agora. Fico imaginando se você teve oportunidade de sair e ver se muita gente apareceu para a reunião do Arco-Íris de 20 de março lá nas fontes quentes. Parece que ia ser muito divertida, mas não acho que você entenda muito bem aquele tipo de gente.

Não ficarei em Dakota do Sul muito mais tempo. Meu amigo Wayne quer que eu fique trabalhando no elevador de cereais durante maio e depois vá ajudá-lo nas máquinas o verão inteiro, mas minha alma está totalmente voltada para minha odisseia alasquiana e espero estar a caminho até 15 de abril. Isso significa que estarei partindo daqui em breve; assim preciso que você mande qualquer correspondência que possa ter chegado para mim para o endereço listado abaixo.

Ron, eu realmente gostei de toda a ajuda que você me deu e do tempo que passamos juntos. Espero que não fique muito deprimido com nossa separação. Pode levar um bom tempo até que a gente se veja de novo. Mas desde que eu saia inteiro desse negócio do Alasca você terá notícias minhas no futuro. Gostaria de repetir o conselho que lhe dei antes: acho que você deveria realmente promover uma mudança radical em seu estilo de vida e começar a fazer corajosamente coisas em que talvez nunca tenha pensado, ou que fosse hesitante demais para tentar. Tanta gente vive em circunstâncias infelizes e, contudo, não toma a iniciativa de mudar sua situação porque está condicionada a uma vida de segurança, conformismo e conservadorismo, tudo isso que parece dar paz de espírito, mas na realidade nada é mais maléfico para o espírito aventureiro do homem que um futuro seguro. A coisa mais essencial do espírito vivo de um homem é sua paixão pela aventura. A alegria da vida vem de nossos encontros com novas experiências e, portanto, não há alegria maior que ter um horizonte sempre cambiante, cada dia com um novo e diferente Sol. Se você quer mais de sua vida, Ron, deve abandonar sua tendência à segurança monótona e adotar um estilo de vida confuso que, de início, vai parecer maluco para você. Mas depois que se acostumar a tal vida verá seu sentido pleno e sua beleza incrível. Em resumo, Ron, saia de Salton City e caia na estrada. Garanto que ficará muito contente em fazer isso. Mas temo que você ignore meu conselho. Você acha que eu sou teimoso, mas você é ainda mais teimoso do que eu. Você tinha uma chance maravilhosa quando voltou da visita a uma das maiores vistas da terra, o Grand Canyon, algo que todo americano deveria apreciar pelo menos uma vez na vida. Mas, por alguma razão incompreensível para mim, você só queria voltar correndo para casa, direto para a mesma situação que vê dia após dia após dia. Temo que você seguirá essa mesma tendência no futuro e assim deixará de descobrir todas as coisas maravilhosas que Deus colocou em torno de nós para descobrir. Não se acomode nem fique sentado em um único lugar. Mova-se, seja nômade, faça de cada dia um novo horizonte. Você ainda vai viver muito tempo, Ron, e será uma vergonha se não aproveitar a oportunidade para revolucionar sua vida e entrar num reino inteiramente novo de experiências.

Você está errado se acha que a alegria emana somente ou principalmente das relações humanas. Deus a distribuiu em toda a nossa volta. Está em tudo e em qualquer coisa que possamos experimentar. Só temos de ter a coragem de dar as costas para nosso estilo de vida habitual e nos comprometer com um modo de viver não convencional.

O que quero dizer é que você não precisa de mim ou de qualquer outra pessoa em volta para pôr esse novo tipo de luz em sua vida. Ele está simplesmente esperando que você o pegue e tudo que tem a fazer é estender os braços. A única pessoa com quem você está lutando é você mesmo e sua teimosia em não entrar em novas situações.

Ron, eu espero realmente que, assim que puder, você saia de Salton City, ponha um pequeno trailer na traseira de sua picape e comece a ver algumas das grandes obras que Deus fez aqui no Oeste americano. Você verá coisas e conhecerá pessoas e há muito a aprender com elas. Deve fazer isso no estilo econômico, sem motéis, cozinhando sua comida como regra geral, gastando o menos que puder e vai gostar imensamente disso. Espero que na próxima vez que o encontrar você seja um homem novo, com uma grande quantidade de novas aventuras e experiências na bagagem. Não hesite nem se permita dar desculpas. Simplesmente saia e faça isso. Simplesmente saia e faça isso. Você ficará muito, muito contente por ter feito.

Cuide-se, Ron
Alex

Por favor, escreva para:
Alex McCandless
Madison, SD 57042

Espantosamente, o velhote de 81 anos levou a sério o conselho atrevido do vagabundo de 24 anos. Franz guardou sua mobília e a maioria de seus pertences num armazém, comprou uma Duravan GMC e equipou-a de beliches e apetrechos de camping. Saiu então de seu apartamento e montou acampamento na *bajada*. Franz ocupou o antigo local de McCandless, logo adiante das fontes quentes. Arranjou umas pedras para criar uma área de estacionamento para a van, transplantou opúncias e indigueiros para "ajardinar". E depois se sentou no deserto, dia após dia, esperando a volta de seu jovem amigo.

Ronald Franz (esse não é seu nome verdadeiro; a seu pedido, dei--lhe um pseudônimo) tem uma aparência notavelmente robusta para um homem em sua nona década que sobreviveu a dois ataques cardíacos. Com um metro e oitenta de altura, braços grossos e peito de ferro, ele mantém-se ereto, com os ombros erguidos. Suas orelhas são grandes, desproporcionais ao resto de suas feições, assim como suas mãos, nodosas e carnudas. Quando entro em seu acampamento no deserto e me apresento, ele está vestindo jeans velhos e uma camiseta branca imaculada, um cinto decorativo gravado a ferro de sua própria fabricação, meias brancas e mocassins pretos desgastados. Sua idade só é traída pelas rugas na testa e por um nariz orgulhoso e bexiguento, sobre o qual filigranas de veias púrpuras se espalham como uma tatuagem finamente executada. Um pouco mais de um ano depois da morte de McCandless, ele vê o mundo através de olhos azuis abatidos.

Para afastar as suspeitas de Franz, mostro-lhe uma porção de fotografias que tirei numa viagem ao Alasca no verão anterior, durante a qual refiz a jornada terminal de McCandless na Stampede Trail. As primeiras imagens da pilha são paisagens, retratos da mata circundante, da trilha coberta de vegetação, montanhas distantes, o rio Sushana. Franz estuda-as em silêncio, assentindo ocasionalmente quando explico o que representam; ele parece agradecido por vê-las.

Porém, quando chega às fotos do ônibus em que o garoto morreu, enrijece abruptamente. Várias dessas imagens mostram as coisas de McCandless dentro do veículo abandonado. Assim que Franz se dá conta do que está vendo, seus olhos se umedecem, ele empurra as fotos para mim sem examinar o resto e afasta-se para se recompor enquanto balbucio uma desculpa esfarrapada.

Franz não mora mais no acampamento de Alex. Uma enchente acabou com a espécie de estrada que havia e ele mudou-se para trinta quilômetros adiante, na direção do deserto de Borrego, onde está acampado ao lado de um grupo isolado de choupos. As Fontes Quentes Oh-Meu-Deus também se foram, arrasadas e fechadas com concreto por ordem da Comissão de Saúde do Vale Imperial. As autoridades do condado dizem que eliminaram as fontes preocupadas em que os banhistas pudessem ficar gravemente doentes por causa dos virulentos micróbios que se acredita floresçam em lagos térmicos.

"Isso com certeza pode ser verdade", diz o balconista da loja de Salton City, "mas a maioria das pessoas acha que eles passaram as máquinas porque as fontes estavam atraindo muitos hippies, vagabundos e ralé desse tipo. Uma boa limpeza, se quer saber."

Depois que disse adeus a McCandless, Franz permaneceu no acampamento por mais de oito meses, esquadrinhando a estrada para ver a aproximação de um jovem com uma mochila grande, esperando pacientemente pela volta de Alex. Durante a última semana de 1992, um dia depois do Natal, pegou dois caroneiros quando voltava de Salton City, onde fora verificar sua correspondência. "Um cara era do Mississippi, acho; o outro era um americano nativo", Franz lembra. "A caminho das fontes quentes, comecei a falar de meu amigo Alex e da aventura que ele decidira viver no Alasca."

De repente, o jovem indígena interrompeu: "Seu nome era Alex McCandless?".

"Sim, isso mesmo. Então vocês encontraram com ele..."

"Odeio ter que contar isso, meu senhor, mas seu amigo está morto. Congelou até a morte na tundra. Acabei de ler na revista *Outside*." Chocado, Franz interrogou o caroneiro minuciosamente. Os detalhes soavam verdadeiros; sua história fazia sentido. Algo dera horrivelmente errado. McCandless jamais voltaria.

"Quando Alex partiu para o Alasca", relembra Franz, "eu rezei. Pedi a Deus que ficasse de olho nele, disse-lhe que aquele garoto era especial. Mas Ele deixou Alex morrer. Então, no dia 26 de dezembro, quando fiquei sabendo do que aconteceu, renunciei ao Senhor. Abandonei minha igreja e tornei-me ateu. Decidi que não podia acreditar num Deus que deixava uma coisa tão terrível acontecer a um menino como Alex.

"Depois que deixei os caroneiros", continua Franz, "dei meia-volta na van, voltei à loja e comprei uma garrafa de uísque. E então fui para o deserto e bebi tudo. Não estava mais acostumado a beber, passei mal. Esperava que me matasse, mas não. Só me deixou muito, muito mal."

7
CARTAGO

Havia certos livros. [...] *Um deles era o* Pilgrim's progress, *sobre um homem que deixou sua família, não dizia por quê. Lia bastante dele de vez em quando. As afirmações eram interessantes, mas duras.*

MARK TWAIN
AS AVENTURAS DE HUCKLEBERRY FINN

É verdade que muitas pessoas criativas não conseguem estabelecer relações pessoais maduras e algumas ficam extremamente isoladas. É verdade também que, em algumas ocasiões, um trauma, na forma de uma separação ou perda precoce, desvia a pessoa potencialmente criativa para o desenvolvimento de aspectos de sua personalidade que podem encontrar realização em comparativo isolamento. Mas isso não significa que as buscas criativas solitárias sejam em si mesmas patológicas. [...]
O comportamento de evitação é uma reação destinada a proteger a criança da desorganização comportamental. Se transferirmos esse conceito para a vida adulta, podemos ver que uma criança que evita as outras poderia muito bem se transformar numa pessoa cuja principal necessidade seria encontrar algum tipo de significado e ordem na vida que não dependesse inteiramente, ou mesmo principalmente, de relações interpessoais.

ANTHONY STORR
SOLIDÃO: UMA VOLTA A SI MESMO

A grande John Deere 8020 repousa silenciosamente na luz oblíqua do fim de tarde, muito longe de qualquer lugar, cercada por um campo semiceifado de sorgo de Dakota do Sul. Os tênis enlameados de Wayne Westerberg projetam-se da boca da ceifeira-debulhadora, como se a máquina estivesse no processo de engoli-lo inteiro, um grande réptil de metal digerindo sua presa. "Será que dá pra me passar aquela maldita chave?", uma voz raivosa e abafada exige das entranhas da máquina. "Ou vocês estão muito ocupados aí em volta para ajudar?" A máquina quebrou pela terceira vez em três dias e Westerberg está tentando freneticamente substituir uma bucha de difícil acesso antes que a noite caia.

Uma hora depois ele emerge, cheio de graxa e palha, mas com a missão cumprida. "Desculpe por engrossar daquele jeito. Estamos trabalhando demais: dezoito horas por dia. Acho que estou ficando um pouco rabugento, estamos atrasados na estação e tudo o mais e, além disso, estamos com falta de gente. Eu estava contando com a volta de Alex a esta altura." Cinqüenta dias se passaram desde a descoberta do corpo de McCandless no Alasca.

Sete meses antes, numa tarde gelada de março, McCandless tinha entrado no escritório do elevador de cereais de Cartago e anunciado que estava pronto para trabalhar. "Lá estávamos, fazendo as contas da manhã", relembra Westerberg, "e entra Alex com uma velha e enorme mochila pendurada nos ombros." Disse a Westerberg que planejava ficar até 15 de abril, o suficiente para juntar uma grana. Precisava comprar uma pilha de equipamentos novos, explicou, porque estava indo para o Alasca. McCandless prometeu voltar a tempo de ajudar na colheita de outono, mas queria estar em Fairbanks no final de abril, a fim de passar o maior tempo possível no Norte antes de retornar.

Durante aquelas quatro semanas em Cartago, McCandless trabalhou duro, fazendo serviços sujos e tediosos que ninguém queria enfrentar: limpar armazéns, exterminar vermes, pintar, gadanhar ervas. A certa altura, para recompensar McCandless com uma tarefa que exigia um pouco mais de habilidade, Westerberg tentou ensiná-lo a operar uma pá mecânica. "Alex não tinha intimidade com máquinas", diz ele sacudindo a cabeça, "e era bem engraçado vê-lo tentar pegar o jeito da embreagem e de todas aquelas alavancas. Definitivamente, ele não tinha o que você poderia chamar de mente mecânica."

Nem era dotado de excesso de bom senso. Muitos que o conheceram comentaram espontaneamente que ele parecia ter grande dificuldade em ver as árvores, em vez da floresta. "Alex não vivia no mundo da Lua ou coisa parecida", diz Westerberg. "Não me interprete mal. Mas havia lacunas no seu raciocínio. Lembro que uma vez fui em casa, entrei na cozinha e percebi um fedor horrível. Estava cheirando muito mal lá dentro. Abri o microondas e o fundo estava cheio de gordura rançosa. Alex tinha usado para cozinhar frango e nunca ocorreu a ele que a gordura tinha de drenar para algum lugar. Não é que ele fosse preguiçoso demais para limpar o aparelho — Alex sempre mantinha as coisas realmente limpas e em ordem —, só que não tinha notado a gordura."

Naquela primavera, logo depois que McCandless retornou a Cartago, Westerberg apresentou-o a Gail Borah, sua velha namorada de muitas idas e vindas, uma moça mignon, de olhos tristes, frágil como uma garça, de feições delicadas e longos cabelos loiros. Com 35 anos, divorciada, mãe de dois adolescentes, logo se aproximou de McCandless. Diz ela: "No início, ele estava meio tímido. Agia como se fosse difícil para ele estar perto de gente. Imaginei que fosse porque passara muito tempo sozinho".

"Eu convidava Alex para jantar quase todas as noites", continua Borah. "Era um comilão. Nunca deixava comida no prato. Nunca. Também era um bom cozinheiro. Às vezes me convidava para a casa de Wayne e fazia janta para todo mundo. Fazia muito arroz. A gente podia imaginar que ele ia se cansar daquilo, mas não. Disse que era capaz de sobreviver um mês com dez quilos de arroz somente."

"Alex falava muito quando estávamos juntos", prossegue Borah. "Coisas sérias, como se estivesse desnudando a alma, esse tipo de coisa. Disse que podia me contar coisas que não contaria para os outros. Dava para ver que alguma coisa corroía Alex. Era evidente que não se dava bem com a família, mas nunca falava muito deles, só de Carine, sua irmã menor. Disse que eram muito próximos, que ela era linda, que quando andava na rua os homens viravam a cabeça para olhá-la."

De sua parte, Westerberg não se preocupava com os problemas familiares de McCandless. "Qualquer que fosse o motivo para ele ter ficado puto, imaginei que devia ter razão. Mas agora que está morto não sei mais. Se Alex estivesse aqui agora, eu seria capaz de dar um esporro: 'O que você está pensando? Não falar de sua família em nenhum momento, tratando-os como se fossem merda!'. Um dos garotos que trabalham para mim, porra, não tem nem pai, mas você não o ouve se lamentando. Não sei qual o negócio com a família de Alex, mas garanto para você que já vi coisa muito pior. Conhecendo Alex, acho que ele deve ter ficado engasgado com alguma coisa que aconteceu entre ele e o pai e não conseguiu deixar pra lá."

A última conjetura de Westerberg, como ficou claro depois, era uma análise correta da relação entre Chris e Walt McCandless. Tanto o pai como o filho eram teimosos e altamente melindrosos. Tendo em vista a necessidade de Walt de exercer controle e a natureza extravagantemente independente de Chris, a polarização era inevitável. Chris submeteu-se à autoridade de Walt no tempo de colégio e faculdade de forma surpreendente, mas ao mesmo tempo sentia raiva por dentro. Ruminava o que julgava serem falhas morais de seu pai, a hipocrisia do estilo de vida dos pais, a tirania do amor condicional deles. Por fim, Chris rebelou-se e, quando o fez, foi com exagero característico.

Pouco antes de desaparecer, queixou-se a Carine de que o comportamento de seus pais era "tão irracional, tão opressivo, desrespeitador e insultuoso que finalmente ultrapassou os meus limites". E continuou:

> Já que eles nunca me levam a sério, durante alguns meses depois da minha graduação vou fazê-los pensar que estão certos, vou deixá-los pensar que "estou vindo para ver o lado deles" e que nossa relação está se estabilizando. E então, quando chegar o momento certo, com uma ação rápida, abrupta, vou expulsá-los completamente da minha vida. Vou me divorciar deles de uma vez por todas e nunca mais falar de novo com um daqueles idiotas enquanto for vivo. Não vou querer mais nada com eles, para sempre.

O gelo que Westerberg percebia entre Alex e seus pais contrastava vivamente com a simpatia que McCandless demonstrava em Cartago. Expansivo e de boa presença quando queria, encantava muita gente. Havia correspondência esperando por ele quando voltou a Dakota do Sul, cartas de gente que conhecera na estrada, inclusive o que Westerberg lembra como "cartas de uma garota que estava vidrada nele, alguém que conhecera em algum Timbuctu — um acampamento, imagino". Mas McCandless nunca mencionou nenhuma história romântica para Westerberg ou Borah.

"Não lembro de Alex falar de alguma namorada", diz Westerberg. "Embora tenha mencionado um par de vezes que queria casar e ter uma família, algum dia. Dava para ver que ele levava as relações a sério. Não era do tipo que sairia por aí para pegar garotas só para trepar."

Para Borah estava claro também que McCandless não passara muito tempo frequentando *single bars*. "Uma noite, a gente foi a um bar em Madison e foi difícil carregá-lo para a pista de dança. Mas, depois que chegou lá, não sentou mais. Nos divertimos muito. Depois que Alex morreu e tudo, Carine me disse que, tanto quanto sabia, fui uma das poucas garotas com quem ele dançou."

Na escola secundária, McCandless tivera relações estreitas com duas ou três representantes do sexo oposto e Carine lembra de uma ocasião em que ficou bêbado e tentou levar uma garota para seu quarto no meio da noite (fizeram tanto barulho tropeçando nas escadas que Billie acordou e mandou a menina para casa). Mas há poucos indícios de que ele fosse um adolescente sexualmente ativo e menos ainda de que tenha dormido com alguma mulher depois de se formar no colégio. (E, falando nisso, não existe indício algum de que tenha alguma vez mantido relações sexuais com um homem.) Parece que McCandless era atraído por mulheres, mas permaneceu em larga medida ou inteiramente celibatário, tão casto quanto um monge.

Castidade e pureza moral eram qualidades sobre as quais McCandless meditava muito e com frequência. Com efeito, um dos livros encontrados no ônibus fatal era uma coleção de contos que incluía "A sonata de Kreutzer", de Tolstoi, no qual um nobre que se torna asceta denuncia "as exigências da carne". Vários trechos como esse estão assinalados e sublinhados no livro cheio de orelhas, com as margens cheias de notas enigmáticas escritas com a grafia característica de McCandless. E no capítulo sobre "Leis superiores" do *Walden*, de Thoreau, livro também descoberto no ônibus, ele fez um círculo em torno da frase: "A castidade é o florescer do homem; e o que se chama de gênio, heroísmo, santidade e coisas semelhantes são simplesmente fruto dela".

Nós, americanos, somos excitados pelo sexo, obcecados por ele, horrorizados com ele. Quando uma pessoa claramente sadia, em especial um rapaz sadio, escolhe abster-se das tentações do sexo, isso nos choca e nos torna maliciosos. E levantam-se suspeitas.

Porém, a aparente inocência sexual de McCandless é o corolário de um tipo de personalidade que nossa cultura diz admirar, pelo menos no caso de seus adeptos mais famosos. Sua ambivalência em relação ao sexo é semelhante à de gente célebre que abraçou a vida selvagem com paixão sincera — principalmente Thoreau (que foi virgem a vida inteira) e o naturalista John Muir —, para não falar dos incontáveis peregrinos, desajustados e aventureiros menos conhecidos. Como não poucos daqueles seduzidos pela vida natural, McCandless parece ter sido impulsionado por um tipo de luxúria que superava o desejo sexual. Seu anseio, em certo sentido, era forte demais para ser saciado pelo contato humano. McCandless pode ter sido tentado pelo socorro oferecido pelas mulheres, mas isso empalidecia diante da perspectiva da rude comunhão com a natureza, com o próprio cosmo. E assim ele foi atraído para o Norte, ao Alasca.

O rapaz assegurou a Westerberg e Borah que, quando sua estada no Norte terminasse, ele voltaria a Dakota do Sul, pelo menos para o outono. Depois disso, tudo dependeria.

"Fiquei com a impressão de que aquela escapada ao Alasca seria sua última grande aventura", explica Westerberg, "e que ele queria sossegar um pouco. Disse que ia escrever um livro sobre suas viagens. Ele gostava de Cartago. Com sua instrução, ninguém pensou que iria trabalhar num maldito elevador de cereais pelo resto da vida. Mas ele decididamente pretendia voltar aqui para ficar um tempo, nos ajudar no elevador, pensar no que iria fazer depois."

Naquela primavera, porém, os olhos de McCandless estavam fixos no Alasca. Ele falava sobre a viagem o tempo todo. Procurou caçadores experientes pela cidade e pediu-lhes dicas sobre como cercar caça, cozinhar animais, secar carne. Borah levou-o à K-Mart de Mitchell para comprar uns últimos equipamentos.

Na metade de abril, Westerberg estava com falta de mão de obra e muito ocupado; pediu então a McCandless que adiasse sua partida e trabalhasse mais uma ou duas semanas. Ele nem considerou o pedido. "Depois que Alex decidia alguma coisa, não havia como fazê-lo mudar", lamenta Westerberg. "Cheguei a oferecer uma passagem de avião até Fairbanks, o que o deixaria trabalhar por mais dez dias e ainda chegar ao Alasca no final de abril, mas ele disse: 'Não, quero ir de carona para o Norte. Voar seria trapaça. Estragaria toda a viagem'."

Duas noites antes da partida de McCandless para o Norte, Mary Westerberg, mãe de Wayne, convidou-o para jantar. "Minha mãe não gosta muito do pessoal que contrato e também não estava nada entusiasmada para se encontrar com Alex. Mas eu ficava atazanando, dizendo a ela 'Você tem que convidar esse garoto', e ela acabou convidando-o para jantar. Eles se entenderam imediatamente. Os dois ficaram conversando sem parar durante cinco horas."

"Havia algo de fascinante nele", explica a sra. Westerberg, sentada à mesa de nogueira polida onde McCandless jantou naquela noite. "Alex pareceu-me ter muito mais que 24 anos. De tudo o que eu dizia, ele queria saber mais, perguntava por que eu pensava desse jeito ou daquele. Ele estava faminto por aprender coisas. Ao contrário da maioria de nós, era o tipo de gente que insiste em viver de acordo com suas crenças.

"Conversamos horas sobre livros; não existe muita gente em Cartago que goste de falar sobre livros. Ele não parava de falar sobre Mark Twain. Puxa, ele era uma visita divertida; eu não queria que a noite acabasse. Queria muito voltar a vê-lo neste outono. Não consigo tirá-lo da cabeça. Fico vendo seu rosto — ele sentou na mesma cadeira em que você está sentado agora. Levando em conta que só passei umas poucas horas em companhia de Alex, me espanta como fiquei incomodada com a morte dele."

Na sua última noite em Cartago, McCandless e a turma de Westerberg promoveram um animadíssimo bota-fora no Cabaret. O Jack Daniel's correu solto. Para surpresa de todos, ele sentou-se ao piano — que nunca mencionara saber tocar — e começou a martelar músicas country honky-tonk, depois ragtime, depois ainda canções de Tony Bennett. E não era apenas um bêbado impondo suas frustrações artísticas sobre uma plateia cativa. Para Gail Borah, "Alex sabia realmente tocar. Quer dizer, ele era *bom*. Ficamos totalmente surpresos".

Na manhã de 15 de abril, todos se reuniram no elevador para se despedir de McCandless. Sua mochila estava pesada. Tinha aproximadamente mil dólares enfiados na bota. Deixou o diário e o álbum de fotos para Westerberg guardar e deu-lhe o cinto de couro que fizera no deserto.

"Alex costumava sentar no Cabaret e ler aquele cinto durante horas a fio, como se estivesse traduzindo hieroglifos para nós. Para cada figura que gravara no couro havia uma longa história", conta Westerberg.

Quando McCandless abraçou Borah, diz ela, "notei que estava chorando. Isso me assustou. Ele não estava planejando ficar longe tanto tempo; imaginei que não estaria chorando se não pretendesse correr grandes riscos e soubesse que poderia não voltar. Foi quando comecei a ter um mau pressentimento de que nunca mais veria Alex".

Um grande semitrailer-trator estava parado na frente: Rod Wolf, um dos empregados de Westerberg, precisava transportar uma carga de sementes de girassol para Enderlin, Dakota do Norte, e concordara em levar McCandless até a Interestadual 94.

"Quando o deixei, ele tinha aquele maldito machete pendurado no ombro", diz Wolf. "Pensei: 'Cara, ninguém vai dar carona para ele quando vir aquela coisa'. Mas não falei nada. Só apertei sua mão, desejei boa sorte e disse que tratasse de escrever."

McCandless obedeceu. Uma semana depois, Westerberg recebeu um cartão conciso com um carimbo de Montana:

> 18 de abril. Cheguei a Whitefish esta manhã num trem de carga. Estou indo muito bem. Hoje salto a fronteira e vou para o Alasca. Mande lembranças para todos.
>
> Cuide-se. Alex

Depois, no início de maio, Westerberg recebeu outro postal, dessa vez do Alasca, com a foto de um urso polar. Fora postado a 27 de abril de 1992. "Saudações de Fairbanks!", dizia,

> Esta é a última vez que você terá notícias minhas, Wayne. Cheguei aqui há dois dias. Foi muito difícil pegar carona no território de Yukon. Mas finalmente cheguei.
>
> Por favor, devolva toda a minha correspondência para os remetentes. Posso demorar muito até voltar para o Sul. Se esta aventura se revelar

fatal e nunca mais tiver notícias de mim, quero que saiba que você é um grande homem. Caminho agora para dentro da natureza selvagem.

Alex

Na mesma data, McCandless mandou um cartão com mensagem semelhante para Jan Burres e Bob:

Ei, caras!
Esta é a última comunicação que deverão receber de mim. Estou saindo para viver no meio do mato. Cuidem-se, foi ótimo conhecer vocês.

Alexander

8
ALASCA

No fim das contas, talvez seja o mau hábito dos gênios criativos de investir-se em extremos patológicos que produza insights notáveis, mas isso acaba não proporcionando nenhum modo de vida duradouro para aqueles que não conseguem traduzir suas feridas psíquicas em arte ou pensamento expressivos.

THEODORE ROSZAK
"EM BUSCA DO MIRACULOSO"

Temos nos Estados Unidos a tradição de "O grande e generoso rio": levar seus ferimentos para a natureza a fim de uma cura, uma conversão, um descanso, ou seja lá o que for. E, como no conto de Hemingway, se seus ferimentos não são graves demais, isso funciona. Mas isto aqui não é Michigan (ou as grandes florestas do Mississippi de Faulkner). Aqui é o Alasca.

EDWARD HOAGLAND
"SUBINDO O NEGRO ATÉ CHALKYITSIK"

Quando McCandless apareceu morto no Alasca e as circunstâncias desconcertantes de seu falecimento foram noticiadas pelos meios de comunicação, muita gente concluiu que aquele menino devia estar mentalmente perturbado. O artigo de *Outside* sobre McCandless gerou um grande volume de correspondência e não poucas cartas o cobriam de opróbrio — e a mim também, o autor da matéria, por glorificar o que alguns julgavam ser uma morte estúpida, sem sentido.

Boa parte das cartas negativas foi mandada por alasquianos. "Para mim, Alex é um maluco", escreveu um morador de Healy, a aldeia que fica no início da Stampede Trail. "O autor descreve um homem que deu de presente uma pequena fortuna, renunciou a uma família amorosa, abandonou carro, relógio e mapa e queimou o resto de seu dinheiro antes de se enfiar no 'deserto' a oeste de Healy."

"Pessoalmente, não vejo nada de positivo no estilo de vida ou doutrina da natureza de Chris McCandless", resmungou outro leitor. "Entrar numa região selvagem mal preparado de propósito e sobreviver a uma experiência tão radical não faz de você um ser humano melhor, faz de você um sortudo."

Um leitor da matéria de *Outside* perguntava-se: "Por que alguém que pretendia 'viver da terra durante alguns meses' esqueceu a primeira regra dos escoteiros: esteja preparado? Por que um filho causaria a seus pais e a sua família uma dor tão permanente e excruciante?".

"Krakauer é um biruta se não acha que Chris 'Alexander Supertramp' McCandless era um biruta", opinou um homem do polo Norte, Alasca. "McCandless já tinha passado da beira do abismo e só o que aconteceu foi que se esborrachou lá embaixo no Alasca."

As críticas mais estridentes vieram na forma de uma carta longa e densa, de Ambler, uma pequenina aldeia inupiat junto ao rio Kobuk, ao norte do círculo Ártico. O autor era um escritor e mestre-escola branco, originário de Washington, D. C., chamado Nick Jans. Advertindo que era uma da manhã e que estava adiantado numa garrafa de gim, Jans soltou o verbo:

> Nos últimos quinze anos, encontrei vários McCandless na região. Mesma história: jovens idealistas, cheios de energia, que se superestimaram, subestimaram a região e acabaram em dificuldade. McCandless não era de forma alguma único: há um bocado desses tipos perambulando pelo estado, tão parecidos que são quase um clichê coletivo. A única diferença é que McCandless acabou morto, com a história de sua estupidez escancarada na mídia. [...] (Jack London deixou isso claro em "Acender um fogo". McCandless, no fim, não passa de uma pálida caricatura contemporânea do protagonista de London, que congela porque ignora conselhos e comete enorme loucura.) [...]
>
> Sua ignorância, que podia ter sido curada com uma bússola do USGS e um manual de escoteiro, é que me mata. E, ao mesmo tempo que lamen-

to por seus pais, não tenho nenhuma simpatia por ele. Uma tal ignorância obstinada... equivale a desrespeito pela terra e, paradoxalmente, demonstra o mesmo tipo de arrogância que resultou no vazamento de óleo da Exxon em Valdez — apenas mais um caso de homens mal preparados, confiantes demais, cambaleando por aí e ferrando-se porque não têm a humildade necessária. É tudo uma questão de grau. O ascetismo artificial e a postura pseudoliterária de McCandless aumentam, em vez de reduzir, a culpa. [...] Os postais, notas e diários de McCandless parecem obra de um colegial acima da média e um tanto histriônico — ou não estou entendendo alguma coisa?

A sabedoria alasquiana dominante dizia que McCandless era apenas mais um novato sonhador mal preparado que foi para o mato esperando achar respostas para todos os seus problemas e, em vez disso, encontrou somente mosquitos e uma morte solitária. Dezenas de personagens marginais marcharam para as regiões desertas do Alasca ao longo dos anos, desaparecendo para sempre. Uns poucos permaneceram na memória coletiva do estado.

Houve o idealista da contracultura que passou pela aldeia de Tanana no início da década de 70 anunciando que pretendia viver o resto de seus dias "comungando com a natureza". Na metade do inverno, um biólogo descobriu todos os seus pertences — dois rifles, apetrechos de camping, um diário preenchido com palavrório incoerente sobre verdade e beleza e teoria ecológica obscura — numa cabana vazia perto de Tofty, com seu interior cheio de neve trazida pelo vento. Jamais se encontrou vestígio do rapaz.

Poucos anos depois, um veterano do Vietnã construiu uma cabana junto ao rio Negro, a leste de Chalkyitsik, para "afastar-se das pessoas". Em fevereiro, acabou sua comida e ele morreu de inanição, aparentemente sem fazer tentativa alguma de se salvar, apesar de haver outra cabana estocada com carne a apenas cinco quilômetros rio abaixo. Escrevendo sobre sua morte, Edward Hoagland observou que o Alasca não é "o melhor local do mundo para experiências eremíticas ou encenações de paz-e-amor".

E, depois, tem o gênio cabeçudo com que topei na praia do estreito de Príncipe William, em 1981. Eu estava acampado nos bosques próximos de Cordova, Alasca, tentando em vão arranjar trabalho de taifeiro numa traineira, esperando o momento em que o Departamento de Caça e Pesca anunciasse o começo da estação comercial do salmão. Numa tarde chuvosa, indo à cidade, cruzei com um homem mal vestido e agitado que parecia ter cerca de quarenta anos. Tinha tufos de barba negra e cabelos até os ombros, mantidos longe do rosto por uma faixa imunda de náilon. Caminhava na minha direção com passos rápidos e enérgicos, curvado sob o peso considerável de um tronco de quase dois metros equilibrado sobre um dos ombros.

Eu disse olá quando se aproximou, ele balbuciou uma resposta e paramos para papear na garoa. Não perguntei por que estava levando uma tora encharcada para a floresta, onde parecia já haver muitos troncos. Depois de alguns minutos de troca de banalidades, seguimos cada um para um lado.

De nossa breve conversa, deduzi que acabara de conhecer o célebre excêntrico que o pessoal do local chamava de Prefeito de Angra dos Hippies, referência a uma enseada ao norte da cidade que era um ímã para andarilhos cabeludos, próximo de onde o Prefeito morava havia alguns anos. A maioria dos residentes da Angra dos Hippies era gente como eu, trabalhadores de verão que vinham a Cordova na esperança de obter empregos bem pagos na pesca, ou, se isso não desse certo, arranjar trabalho nas fábricas de salmão enlatado. Mas o Prefeito era diferente.

Seu verdadeiro nome era Gene Rosellini. Era o enteado mais velho de Victor Rosellini, um rico *restaurateur* de Seattle, primo de Albert Rosellini, o imensamente popular governador do estado de Washington de 1957 a 1965. Na juventude, Gene fora um bom atleta e aluno brilhante. Lia obsessivamente, praticava ioga, tornou-se especialista em artes marciais. Manteve uma média perfeita de 4,0 durante todo o colégio e faculdade. Na Universidade de Washington e, depois, na de Seattle, mergulhou em antropologia, história, filosofia e linguística, acumulando centenas de créditos sem se formar em nada. Não via razão para isso. A busca do conhecimento, afirmava, era um objetivo valioso em si mesmo e não precisava de validação externa.

Rosellini deixou a universidade, partiu de Seattle e foi para o Norte pela costa, atravessando a Colúmbia Britânica e o enclave do Alasca. Em 1977, baixou em Cordova. Ali, na floresta à margem da cidade, decidiu devotar sua vida a uma experiência antropológica ambiciosa.

"Eu estava interessado em saber se era possível ser independente da tecnologia moderna", disse à repórter Debra McKinney, do *Anchorage Daily News*, uma década depois de chegar a Cordova. Queria saber se os seres humanos poderiam viver como nossos antepassados viviam na época em que mamutes e tigres de dentes de sabre vagavam pela Terra, ou se nossa espécie tinha se afastado demais de suas raízes para conseguir sobreviver sem pólvora, aço e outros artefatos da civilização. Com o detalhismo obsessivo que caracteriza seu tipo de caráter atormentado, Rosellini expurgou de sua vida todas as ferramentas, exceto as mais primitivas, as quais fabricou a partir de materiais nativos com as próprias mãos.

"Ele se convenceu de que os humanos tinham degenerado em seres progressivamente inferiores", explica McKinney, "e que era seu objetivo retornar ao estado natural. Ele estava sempre fazendo experiências com épocas diferentes — tempos romanos, Idade do Ferro, Idade do Bronze. No final, seu estilo de vida tinha elementos do Neolítico."

Comia raízes, frutas silvestres e algas marinhas, caçava com lanças e armadilhas, vestia-se com trapos, suportava invernos rigorosos. Parecia ter prazer com as dificuldades. Sua casa acima da Angra dos Hippies era uma choupana sem janelas que construíra sem ajuda de serra ou machado. "Ele passava dias batalhando para cortar um tronco com uma pedra afiada", diz McKinney.

Como se a mera subsistência conforme suas regras autoimpostas não fosse árdua o suficiente, Rosellini também se exercitava compulsivamente sempre que não estava ocupado em obter alimento. Preenchia seus dias com calistenia, levantamento de peso e corrida, muitas vezes com um saco de pedras nas costas. Contou que durante o verão cobria uma média de 29 quilômetros por dia.

O "experimento" de Rosellini estendeu-se por mais de uma década, mas por fim ele achou que a questão que o inspirara fora respondida. Numa carta a um amigo, escreveu:

> Comecei minha vida adulta com a hipótese de que seria possível tornar-me um nativo da Idade da Pedra. Por mais de trinta anos, programei-me e condicionei-me para essa finalidade. Nos últimos dez anos, diria que experimentei de fato a realidade física, mental e emocional da Idade da Pedra. Mas, para tomar emprestada a expressão budista, finalmente che-

gou o momento do cara a cara definitivo com a pura realidade. Aprendi que não é possível para os seres humanos tal como os conhecemos viver da terra.

Rosellini parecia ter aceitado o fracasso de sua hipótese com serenidade. Aos 49 anos de idade, anunciou alegremente que tinha "refeito" seus objetivos e a próxima coisa que pretendia era "caminhar em volta do mundo, vivendo de minha mochila. Quero cobrir de trinta a 45 quilômetros por dia, sete dias por semana, 365 dias por ano".
A viagem nunca decolou. Em novembro de 1991, Rosellini foi encontrado caído de bruços no chão de sua cabana com uma faca atravessada no coração. O médico-legista determinou que o golpe fatal fora autoinfligido. Não havia bilhete suicida. Rosellini não deixou pistas sobre por que decidira acabar com a vida naquela ocasião e daquela maneira. Com toda a probabilidade, ninguém jamais saberá.

    A morte de Rosellini e a história de sua vida bizarra foram parar na primeira página do *Anchorage Daily News*. As atividades de John Mallon Waterman, no entanto, atraíram menos atenção. Nascido em 1952, Waterman cresceu nos mesmos bairros de Washington que formaram Chris McCandless. Seu pai, Guy Waterman, é músico e escritor free-lance que, entre outras reivindicações de fama modesta, redigiu discursos para presidentes, ex-presidentes e outros políticos preeminentes de Washington. Era também um hábil montanhista que ensinou seus três filhos a escalar bem cedo. John, o filho do meio, começou a escalar rochas aos treze anos.
    John tinha uma vocação inata. Aproveitava qualquer oportunidade para ir aos penhascos e treinava de forma obsessiva quando não podia escalar. Fazia quatrocentas flexões por dia e caminhava quatro quilômetros até a escola, a passo rápido. Ao voltar para casa à tarde, apenas tocava com a mão a porta da frente e voltava para a escola para fazer uma segunda rodada.
    Em 1969, aos dezesseis anos, John escalou o pico McKinley (que chamava de Denali, como a maioria dos alasquianos, preferindo o nome indígena), tornando-se a terceira pessoa mais jovem a atingir o ponto mais alto do continente. Nos anos seguintes, realizou escaladas

ainda mais impressionantes no Alasca, no Canadá e na Europa. Em 1973, quando se matriculou na Universidade do Alasca, em Fairbanks, Waterman já tinha a reputação de um dos alpinistas jovens mais promissores da América do Norte.

Era uma pessoa baixa, mal chegando ao metro e sessenta de altura, com um rosto pequeno e o físico rijo e infatigável de um ginasta. Os conhecidos lembram dele como um homem-criança socialmente desajeitado, com um senso de humor chocante e uma personalidade agitada, quase maníaco-depressiva.

"Quando conheci John", diz James Brady, um colega de escaladas e amigo de escola, "ele estava se pavoneando pelo campus com uma longa capa preta e óculos azuis tipo Elton John que tinham uma estrela entre as lentes. Carregava uma guitarra barata colada com fita crepe e fazia serenatas para qualquer um que se dispusesse a ouvir as canções longas e desafinadas sobre suas aventuras. Fairbanks sempre atraiu um monte de tipos esquisitos, mas ele era excêntrico até para os padrões de Fairbanks. É, John estava à solta. E muita gente não sabia o que fazer com ele."

Não é difícil imaginar causas plausíveis para a instabilidade de Waterman. Seus pais, Guy e Emily Waterman, divorciaram-se quando ele era adolescente e o pai, de acordo com uma fonte próxima da família, "na prática abandonou os filhos depois do divórcio. Não queria mais nada com os meninos e isso afetou muito John. Não muito tempo após a separação, John e Bill, seu irmão mais velho, foram visitar o pai, mas Guy recusou-se a vê-los. Pouco depois disso, John e Bill foram morar com um tio em Fairbanks. A certa altura, quando viviam lá, John ficou muito entusiasmado porque ouviu dizer que seu pai vinha fazer alpinismo no Alasca. Mas quando chegou ao estado, Guy não se preocupou em ver os filhos; veio e foi embora sem visitá-los. Isso partiu o coração de John".

Bill, com quem John tinha uma relação muito próxima, perdeu uma perna na adolescência, ao tentar pegar carona em um trem de carga. Em 1973, Bill escreveu uma carta enigmática aludindo vagamente a planos de uma longa viagem e então desapareceu, sem deixar rastro; até hoje ninguém sabe que fim levou. E, depois que John aprendeu a escalar, oito de seus amigos e parceiros de alpinismo morreram em acidentes ou cometeram suicídio. Não é forçado afirmar que essa erupção de infortúnios foi um golpe sério na jovem psique de Waterman.

Em março de 1978, ele iniciou sua expedição mais espantosa, uma escalada solitária do contraforte do sudeste do pico Hunter, uma subida nunca realizada que tinha derrotado anteriormente três equipes de alpinistas de elite. Escrevendo sobre o feito na revista *Climbing*, o jornalista Glenn Randall contou que Waterman descrevera seus companheiros de escalada como sendo "o vento, a neve e a morte".

Cornijas de gelo tão etéreas quanto merengues projetavam-se sobre vazios de quilômetro e meio de profundidade. As paredes verticais de gelo eram tão fragmentáveis quanto um balde de cubos de gelo meio derretido e depois recongelado. Elas levavam a cristas tão estreitas e tão íngremes em ambos os lados que a solução mais fácil era montá-las. Em certos momentos, a dor e a solidão engolfavam-no e ele caía no choro.

Depois de 81 dias de escalada extenuante e extremamente perigosa, Waterman atingiu os 4444 metros do topo do Hunter, que se ergue na cadeia do Alasca, logo ao sul do Denali. Foram necessárias outras nove semanas para fazer a descida, apenas um pouco menos penosa; no total, Waterman passou 145 dias sozinho na montanha. Quando voltou à civilização, sem um tostão, tomou emprestados vinte dólares de Cliff Hudson, o piloto de táxi aéreo que o levou de volta para Fairbanks, onde o único trabalho que encontrou foi lavar pratos.

Contudo, Waterman foi saudado como um herói pela pequena comunidade de alpinistas de Fairbanks. Fez uma apresentação com slides da escalada do Hunter que Brady chama de "inesquecível. Foi uma performance incrível, completamente desinibida. Ele despejou todos os seus pensamentos e sentimentos, seu medo do fracasso, seu medo da morte. Foi como se você estivesse com ele". Porém, nos meses posteriores à façanha épica, Waterman descobriu que, em vez de acalmar seus demônios, o sucesso servira apenas para agitá-los.

Sua cabeça começou a bater pino. "John era muito autocrítico, sempre se analisando", relembra Brady. "E sempre foi meio compulsivo. Costumava andar com uma pilha de pranchetas e blocos de anotações. Fazia apontamentos copiosos, criando um registro completo de tudo o que fazia a cada dia. Lembro-me de encontrá-lo certa vez no centro de Fairbanks. Enquanto caminhávamos, pegou uma prancheta, anotou a hora em que me viu e tudo o que conversamos, que não foi muito. Suas notas de nosso encontro encheram três ou quatro páginas, além de tudo o que já rabiscara naquele dia. Em algum lugar, ele devia ter pilhas e pilhas de notas como aquelas que, tenho certeza, não fariam sentido para ninguém, exceto para ele mesmo."

Pouco depois, John concorreu ao conselho escolar local, com uma plataforma que defendia o sexo irrestrito para estudantes e a legalização de drogas alucinógenas. Perdeu a eleição, o que não foi surpresa para ninguém. Mas imediatamente lançou outra campanha política, dessa vez para a presidência dos Estados Unidos. Concorreu pelo Partido Alimente-os-Famintos, cuja principal prioridade era assegurar que ninguém morresse de fome no planeta.

Para divulgar sua campanha, fez planos de empreender uma escalada solitária da face sul do Denali, seu lado mais escarpado, no inverno, com um mínimo de comida. Queria sublinhar o desperdício e a imoralidade da dieta padrão americana. Como parte de seu regime de treinamento para a escalada, enfiava-se em banheiras cheias de gelo.

Waterman foi de avião para a geleira de Kahiltna em dezembro de 1979, para começar a escalada, mas suspendeu-a depois de apenas catorze dias. Consta que disse ao seu piloto: "Leve-me para casa; não quero morrer". Dois meses depois, no entanto, preparou-se para uma segunda tentativa. Mas em Talkeetna, uma aldeia ao sul do Denali, ponto inicial da maioria das expedições de alpinismo na cadeia do Alasca, a cabana em que estava pegou fogo e ficou em cinzas, queimando seu equipamento e volumoso acúmulo de notas, poesias e diários que ele considerava a obra de sua vida.

Waterman ficou totalmente desorientado com a perda. Um dia depois do incêndio internou-se no Instituto Psiquiátrico de Anchorage, mas saiu após duas semanas, convencido de que havia uma conspiração em marcha para mantê-lo internado permanentemente. Então, no inverno de 1981, deu início a nova tentativa de escalar sozinho o Denali.

Como se escalar o pico no inverno não fosse desafio suficiente, dessa vez decidiu aumentar os obstáculos começando a subida no nível do mar, o que acarretava uma caminhada de 250 quilômetros tortuosos da praia da enseada de Cook somente para chegar ao sopé da montanha. Começou a arrastar-se para o norte em fevereiro, mas seu entusiasmo acabou nas partes mais baixas da geleira de Ruth, distante cerca de cinquenta quilômetros do pico, e ele abortou a tentativa, voltando a Talkeetna. Em março, porém, juntou sua disposição uma vez mais e retomou sua caminhada solitária. Antes de deixar a vila, disse ao piloto Cliff Hudson, que considerava seu amigo: "Não verei você de novo".

Foi um março excepcionalmente frio na cadeia do Alasca. Perto do fim do mês, Mugs Stump cruzou com Waterman na parte alta da geleira de Ruth. Stump, um alpinista de renome internacional que morreu no Denali em 1992, acabara de completar uma rota nova difícil em um pico próximo, o Dente de Alce. Pouco depois de seu encontro casual com Waterman, ele visitou-me em Seattle e observou que "John não parecia estar sempre presente. Agia de forma aérea e falava besteiras. Supostamente, estava fazendo aquela grande escalada de inverno do Denali, mas mal trazia algum equipamento com ele. Vestia uma roupa barata de *snowmobile* e não levava nem mesmo saco de dormir. Tudo o que tinha de comida era um punhado de farinha, um pouco de açúcar e uma lata grande de Crisco".

Em seu livro *Breaking point* [Ponto crítico], escreve Glenn Randall:

> Durante várias semanas, Waterman demorou-se na área da Casa da Montanha Sheldon, uma cabana pequena empoleirada ao lado da geleira de Ruth, no coração da cadeia. Kate Bull, uma amiga de Waterman que estava escalando na região por aqueles dias, relatou que ele estava exausto e menos cauteloso que o usual. Utilizou o rádio que tomara emprestado de Cliff [Hudson] para chamá-lo e pedir mais suprimentos. Depois devolveu o rádio.
>
> "Não vou precisar mais disso", disse ele. O rádio teria sido seu único meio de pedir ajuda.

Waterman foi localizado pela última vez na bifurcação noroeste da geleira de Ruth, no dia 1º de abril. Suas pegadas levavam na direção do contraforte leste do Denali, direto para um labirinto de fendas gigantescas, prova de que não fizera nenhum esforço para evitar perigos óbvios. Nunca mais foi visto: presume-se que uma ponte fina de gelo quebrou sob seus pés e ele despencou para a morte no fundo de uma das fissuras profundas. O Serviço Nacional de Parques pesquisou do ar a rota pretendida por Waterman durante uma semana após seu desaparecimento, mas não encontrou nem sinal dele. Alguns alpinistas descobriram mais tarde um bilhete no topo de uma caixa de apetrechos de Waterman dentro da Casa da Montanha Sheldon em que estava escrito: "13/3/81. Meu último beijo 1h42 PM".

Inevitavelmente, traçaram-se paralelos entre John Waterman e Chris McCandless. Fizeram-se também comparações entre McCandless e Carl McCunn, um texano afável e distraído que se mudou para Fairbanks durante o boom do petróleo da década de 70 e achou um emprego lucrativo no projeto de construção do Oleoduto TransAlasca. No início de março de 1981, enquanto Waterman fazia sua jornada final na cadeia do Alasca, McCunn contratou um piloto de táxi aéreo para deixá-lo num lago remoto, perto do rio Coleen, cerca de 120 quilômetros a nordeste de Fort Yukon, na margem meridional da cadeia Brooks.

Fotógrafo amador de 35 anos de idade, McCunn disse a amigos que o principal motivo da viagem era tirar fotos da vida selvagem. Levou quinhentos rolos de filme, rifles de calibre .22 e .30-.33, um revólver e 635 quilos de provisões. Sua intenção era permanecer na região até agosto. Porém, esqueceu-se de combinar com o piloto sua volta para a civilização no final do verão e isso custou-lhe a vida.

Esse descuido espantoso não foi grande surpresa para Mark Stoppel, um jovem residente de Fairbanks que chegara a conhecer bem McCunn durante os nove meses em que trabalharam juntos no oleoduto, pouco antes de o desengonçado texano partir para a cadeia Brooks.

"Carl era o tipo do cara do interior, cordial, muito querido", relembra Stoppel. "E ele parecia ser esperto. Mas tinha um lado um pouco sonhador, um pouco fora da realidade. Chamava a atenção. Gostava de se divertir. Podia ser extremamente responsável, mas tinha a tendência de, às vezes, agir por impulso, ir em frente na base da bravata e do estilo. Não, acho que realmente não me surpreende que Carl tenha ido para lá e esquecido de combinar a volta. Bem, não fico chocado facilmente. Tive vários amigos que se afogaram, foram mortos ou morreram em acidentes esquisitos. No Alasca, a gente se acostuma com acontecimentos estranhos."

No final de agosto, à medida que os dias iam ficando mais curtos e o ar se tornava cortante e outonal na cadeia Brooks, McCunn começou a se preocupar quando ninguém apareceu para buscá-lo. "Acho que deveria ter sido mais precavido em relação à minha partida", confessou em seu diário, que teve trechos significativos divulgados postumamente por Kris Capps numa matéria em cinco partes publicada no *Fairbanks Daily News-Miner*. "Logo vou descobrir."

Semana a semana, ele pôde sentir o avanço acelerado do inverno. Quando suas provisões escassearam, McCunn arrependeu-se profundamente de ter jogado, com exceção de uma dezena, todas as suas balas de revólver no lago. "Fico pensando em todas as balas que joguei fora no lago meses atrás", escreveu ele. "Tinha cinco caixas e quando olhava para aquilo me sentia um tanto estúpido por ter trazido tantas. (Me sentia como um fomentador de guerras)... realmente brilhante. Quem poderia saber que eu precisaria delas apenas para não morrer de fome?"

Então, numa manhã clara e fria de setembro, a salvação pareceu estar à mão. McCunn estava caçando patos com o que restava de sua munição quando a quietude foi interrompida pelo zumbido de um aeroplano, que logo apareceu no céu. O piloto, vendo o acampamento, circulou duas vezes em baixa altitude para olhar mais de perto. McCunn acenava freneticamente com uma capa de saco de dormir cor de laranja fluorescente. O avião estava equipado com rodas, em vez de flutuadores, e não podia aterrissar, mas McCunn estava certo de que fora visto e não tinha dúvidas de que o piloto pediria que um hidroavião fosse buscá-lo. Estava tão certo disso que registrou em seu diário: "Parei de acenar depois da primeira passagem. Depois me ocupei em arrumar as coisas e me preparar para levantar acampamento".

Mas nenhum avião chegou naquele dia, nem no dia seguinte, nem no próximo. Por fim, McCunn olhou no verso de sua licença de caça e entendeu o porquê. Impressos num pequeno quadrado de papel estavam desenhos de sinais de emergência com a mão para comunicar-se com aviões. "Lembro de ter erguido a mão direita, com o ombro alto, e sacudido o punho na segunda passagem do avião", escreveu McCunn. "Era uma pequena comemoração — como quando seu time faz um gol, ou algo assim." Infelizmente, como aprendeu tarde demais, erguer um único braço é o sinal universalmente reconhecido de "tudo bem; ajuda não necessária". O sinal para "sos; mande ajuda imediata" é dois braços levantados.

"Esse foi provavelmente o motivo de, depois de voarem um pouco para longe, terem retornado para mais uma passagem e nesta não fiz sinal nenhum (na verdade, eu posso até ter dado as costas para o avião enquanto passava)", refletiu McCunn filosoficamente. "É provável que tenham me descartado como um sujeito esquisito."

No final de setembro, a neve empilhava-se na tundra e o lago congelara. Quando as provisões que trouxera acabaram, fez um esforço para apanhar frutos de roseira e fazer armadilhas para coelhos. A certa altura, conseguiu arrancar carne de um caribu doente que viera para o lago e morrera. Em outubro, no entanto, já metabolizara a maior parte da gordura de seu corpo e tinha dificuldades para manter-se aquecido durante as noites longas e frias. "Certamente alguém na cidade deve ter imaginado que algo deve estar errado — já que eu não voltei até agora", anotou. Mas, ainda assim, nenhum avião apareceu.

"Era o tipo de coisa que Carl faria: supor que alguém iria aparecer por magia para salvá-lo", diz Stoppel. "Ele era motorista de caminhão e tinha bastante tempo no trabalho, com a bunda no assento, sonhando acordado, que foi como apareceu a ideia da viagem à cadeia Brooks. Era uma busca séria para ele: passou a maior parte do ano pensando nela, planejando, imaginando, falando comigo nos intervalos sobre os apetrechos que deveria levar. Mas, apesar de todo o planejamento cuidadoso que fez, também se deixou levar por algumas fantasias malucas.

"Por exemplo, Carl não queria ir sozinho. Seu grande sonho, originalmente, era viver no mato com alguma mulher linda. Ele estava com tesão por pelo menos duas garotas que trabalhavam conosco e gastou um bom tempo e energia tentando convencer Sue ou Barbara, ou quem quer que fosse, a acompanhá-lo — o que já era pura fantasia. Não tinha como isso acontecer; no acampamento do oleoduto onde trabalhávamos, Estação de Bombeamento 7, havia provavelmente quarenta caras para cada mulher. Mas Carl era o tipo do veranista sonhador e, até o dia em que voou para o Norte, ficou esperando, esperando e esperando que uma dessas garotas mudasse de ideia e decidisse ir com ele."

Da mesma forma, explica Stoppel, "Carl era o tipo de sujeito que teria expectativas irrealistas de que alguém iria acabar por descobrir que ele estava em dificuldades e lhe daria cobertura. Mesmo quando estava à beira da inanição, provavelmente imaginava que Big Sue iria chegar na última hora com um avião cheio de comida e ter um romance impetuoso com ele. Mas seu mundo de fantasia estava tão longe do real que ninguém conseguia se ligar nele. Carl ficou simplesmente cada vez mais faminto. Quando finalmente entendeu que ninguém viria resgatá--lo, estava tão mirrado que era tarde demais para fazer qualquer coisa".

Quando o suprimento de comida chegou a quase nada, ele escreveu no diário: "Estou ficando mais do que preocupado. Para ser honesto, estou começando a ficar um pouco assustado". O termômetro mergulhou a menos vinte graus. Bolhas doloridas e cheias de pus causadas pelo frio formaram-se nos dedos dos pés e das mãos.

Em novembro, acabou a última de suas rações. Sentia-se fraco e tonto; calafrios sacudiam sua compleição emaciada. O diário registrou: "As mãos e o nariz continuam a piorar, como os pés. A ponta do nariz está muito inchada, com bolhas e cascas... É certamente uma maneira lenta e agonizante de morrer". McCunn pensou em deixar a segurança de seu acampamento e partir a pé para Fort Yukon, mas concluiu que não estava forte o suficiente, que sucumbiria à exaustão e ao frio muito antes de chegar lá.

"A parte do interior onde Carl estava é uma região remota, muito vazia do Alasca", diz Stoppel. "Ali faz um frio do cão no inverno. Existe gente que na situação dele poderia ter descoberto uma maneira de ir embora, ou talvez de passar o inverno, mas para isso teria de ser extremamente engenhosa. Teria que estar com tudo em cima. Teria que ser um tigre, um matador, um animal. E Carl era muito relaxado. Era um cara festeiro."

"Não posso continuar assim, temo dizer", McCunn escreveu em algum momento do final de novembro, perto do fim de seu diário, que preenchia agora cem páginas de folhas soltas de um bloco. "Querido Deus do céu, por favor, perdoe minha fraqueza e meus pecados. Por favor, olhe por minha família." E então reclinou-se na parede de sua barraca, colocou a ponta de seu rifle contra a cabeça e apertou o gatilho com o polegar. Dois meses depois, a 2 de fevereiro de 1982, a Guarda

Estadual do Alasca encontrou seu acampamento, olhou dentro da barraca e descobriu o cadáver descarnado e congelado, duro como pedra.

Há semelhanças entre Rosellini, Waterman, McCunn e McCandless. Como Rosellini e Waterman, ele era alguém que buscava alguma coisa e tinha um fascínio nada prático pelo lado rude da natureza. Como Waterman e McCunn, exibia uma escassez assombrosa de bom senso. Mas, ao contrário de Waterman, não estava mentalmente doente. E, diversamente de McCunn, não foi para o mato supondo que alguém apareceria automaticamente para salvar sua pele antes de arruinar-se.

McCandless não se ajusta muito bem ao estereótipo da vítima do mato. Embora fosse precipitado, ignorante dos problemas das regiões selvagens e imprudente ao ponto da insensatez, não era incompetente — não teria durado 113 dias se o fosse. E não era um biruta, um sociopata, um proscrito. McCandless era outra coisa, embora precisamente o que seja difícil dizer. Um peregrino, talvez.

Podem-se obter algumas luzes sobre a tragédia de McCandless estudando antecessores da mesma cepa exótica. E para isso deve-se voltar o olhar para longe do Alasca, para os cânions de rocha nua do sul de Utah. Lá, em 1934, um rapaz peculiar de vinte anos entrou no deserto e de lá nunca mais saiu. Seu nome era Everett Ruess.

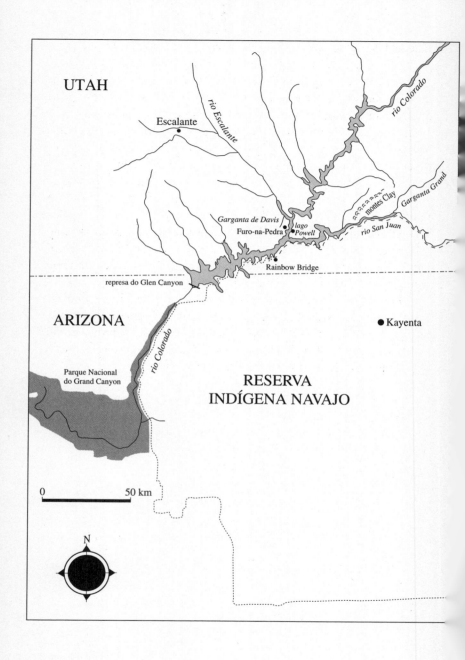

9
GARGANTA DE DAVIS

Em relação a quando visitarei a civilização, não será em breve, acho. Não me cansei da natureza; ao contrário, deleito-me cada vez mais com sua beleza e com a vida errante que levo. Prefiro a sela ao bonde, e o céu salpicado de estrelas a um teto, a trilha obscura e difícil, levando ao desconhecido, a qualquer estrada pavimentada, e a paz profunda do campo ao descontentamento gerado pelas cidades. Você me censura por ficar aqui, onde sinto que é o meu lugar e que sou uno com o mundo a minha volta? É verdade que sinto falta de companhia inteligente, mas há tão poucos com quem possa compartilhar as coisas que significam tanto para mim que aprendi a me conter. É suficiente que eu esteja cercado de beleza...

Mesmo com base em sua descrição insuficiente, sei que não conseguiria suportar a rotina e o tédio da vida que você é forçado a levar. Não acho que poderei algum dia fixar residência. Já conheci demais as profundezas da vida e preferiria qualquer coisa a um anticlímax.

ÚLTIMA CARTA RECEBIDA DE EVERETT RUESS, AO SEU IRMÃO
WALDO, DATADA DE 11 DE NOVEMBRO DE 1934

O que Everett Ruess buscava era a beleza e a concebia em termos bastante românticos. Podemos nos sentir inclinados a rir da extravagância de seu culto à beleza, se não houvesse algo quase magnificente em sua dedicação sincera a ela. A estética, enquanto afetação de gabinete, é ridícula e, às vezes, um pouco obscena; como modo de vida, às vezes alcança dignidade. Se rimos de

> *Everett Ruess, deveríamos rir de John Muir, porque há poucas diferenças entre eles, exceto a idade.*
>
> WALLACE STEGNER,
> TERRA DOS MÓRMONS

    O arroio Davis não passa de um fio d'água durante a maior parte do ano e, às vezes, nem isso. Originando-se no sopé de um penhasco conhecido como Ponto das Cinquenta Milhas, o regato corre apenas seis quilômetros e meio através das lajes de arenito cor-de-rosa do Sul de Utah antes de entregar suas modestas águas ao lago Powell, o reservatório gigantesco que se estende por trezentos quilômetros acima da represa do Glen Canyon. A garganta de Davis é uma vertente pequena por qualquer padrão, mas adorável, e os viajantes que atravessam essa região seca e inóspita servem-se há séculos do oásis que existe no fundo desse desfiladeiro estreito. Inscrições e pictogramas misteriosos de novecentos anos decoram suas paredes escarpadas. Habitações de pedra caindo aos pedaços dos indígenas kayenta anasazis, criadores dessa arte há muito desaparecidos, aninham-se em recantos protegidos. Fragmentos antigos de potes dos anasazis misturam-se na areia com latinhas enferrujadas jogadas por criadores de gado que traziam os animais para pastar e beber água no desfiladeiro.

    Em boa parte de sua curta extensão, a garganta de Davis é um talho profundo e serpenteante na rocha lisa, tão estreita em alguns lugares que é possível cuspir de um lado ao outro e ladeada por imponentes paredes de arenito que barram o acesso ao chão do desfiladeiro. Porém, há uma rota escondida em sua ponta mais baixa. Logo acima de onde o arroio Davis deságua no lago, uma rampa natural desce ziguezagueando da margem oeste do cânion. Não muito longe do fundo do arroio a rampa termina e aparece uma escada rústica, cortada no arenito macio por criadores de gado mórmons há quase um século.

    A região em torno da garganta de Davis é uma vastidão árida de rocha nua e areia vermelho-tijolo. A vegetação é magra. Não existe praticamente sombra para proteger-se do sol abrasador. Mas descer aos confins do desfiladeiro é entrar em um mundo novo. Choupos inclinam-se graciosamente sobre nuvens de opúncias em flor. O capim alto oscila sob a brisa. A floração efêmera de uma *sego lily* [*Calochortus nuttallii*] espreita da ponta de um arco de pedra de quase trinta metros e garriças do cânion chamam em tons melancólicos de um telhado de chaparros. Bem acima do arroio, uma fonte escorre da face do penhasco, irrigando uma proliferação de musgos e avencas que caem da rocha em luxuriantes cabeleiras verdes.

Seis décadas atrás, nesse esconderijo encantador, menos de dois quilômetros correnteza abaixo de onde a escada dos mórmons chega ao fundo da garganta, o jovem Everett Ruess riscou seu *nom de plume* na parede do desfiladeiro, abaixo de um painel de pictogramas dos anasazis, e fez o mesmo na entrada de uma pequena estrutura de pedras construída pelos índios para armazenar grãos. "NEMO 1934", rabiscou ele, movido, sem dúvida, pelo mesmo impulso que levou Chris McCandless a escrever "Alexander Supertramp/maio de 1992" na parede do ônibus — impulso não muito diferente, talvez, daquele que inspirou os anasazis a embelezar as rochas com seus símbolos indecifráveis. De qualquer modo, pouco depois que gravou sua marca no arenito, Ruess saiu da garganta de Davis e desapareceu misteriosamente — e aparentemente de propósito. Uma extensa busca não descobriu seu paradeiro. Simplesmente se foi, engolido inteiro pelo deserto. Sessenta anos depois, continuamos sem saber quase nada sobre seu destino.

Everett, nascido em Oakland, Califórnia, em 1914, era o mais moço dos dois filhos de Christopher e Stella Ruess. O pai, formado pela Escola de Teologia de Harvard, era poeta, filósofo e ministro unitário, embora ganhasse a vida como burocrata no sistema penal da Califórnia. Stella era uma mulher voluntariosa, com gostos boêmios e ambições artísticas, tanto para si como para seus familiares; publicava sozinha um periódico literário, o *Ruess Quartette*, cuja capa ostentava a máxima da família: "Glorifica o momento". Família muito unida, os Ruess eram também nômades, indo de Oakland para Fresno, Los Angeles, Boston, Brooklyn, Nova Jersey e Indiana antes de finalmente se estabelecerem no Sul da Califórnia quando Everett tinha catorze anos.

Em Los Angeles, o menino frequentou a Escola de Artes Otis e a Hollywood High. Com dezesseis anos, partiu para sua primeira longa viagem solitária, e passou o verão de 1930 pegando carona e caminhando por Yosemite e Big Sur, acabando em Carmel. Dois dias depois de chegar a essa comunidade, bateu sem pudor na porta de Edward Weston, que ficou encantado com o fatigado rapaz e foi indulgente com ele. Nos dois meses seguintes, o famoso fotógrafo estimulou os esforços desiguais mas promissores do garoto em pintura e xilogravura e permitiu que ficasse pelo estúdio com seus filhos Neil e Cole.

No final do verão, Everett retornou a sua casa apenas o tempo suficiente para obter o diploma do secundário, que recebeu em janeiro de 1931. Menos de um mês depois, estava na estrada de novo, vagando pelos desfiladeiros de Utah, Arizona e Novo México, então uma região quase tão desabitada e envolta em misticismo quanto o Alasca é hoje. Exceto por uma breve e infeliz passagem pela UCLA [Universidade da Califórnia] (abandonou a universidade depois de um único semestre, deixando seu pai consternado), duas longas visitas aos pais e um inverno em San Francisco (onde chegou a frequentar o grupo de Dorothea Lange, Ansel Adams e do pintor Maynard Dixon), Ruess passaria o resto de sua vida meteórica em movimento, vivendo de mochila nas costas e com muito pouco dinheiro, dormindo no pó, de vez em quando passando alegremente fome durante dias a fio.

Ruess era, nas palavras de Wallace Stegner, "um romântico implume, um esteta adolescente, um andarilho atávico dos desertos":

> Aos dezoito anos, em sonho, viu-se arrastando-se por selvas, escalando as saliências de um penhasco, perambulando pelos românticos lugares desertos do mundo. Nenhum homem com os impulsos da juventude esquece esses sonhos. O que é peculiar em Everett Ruess é que ele partiu para fazer as coisas com que tinha sonhado, não apenas para umas férias de duas semanas nas terras maravilhosas civilizadas e podadas, mas durante meses e anos no próprio centro da maravilha. [...]
>
> Ele punia deliberadamente seu corpo, ia além de sua resistência, testava sua capacidade de se esforçar. Entrou deliberadamente em trilhas que índios e gente experimentada o advertiam para não tomar. Agarrou-se a penhascos que mais de uma vez o deixaram pendente entre borda e escarpa. [...] De seus acampamentos junto a bolsões de água, nos desfiladeiros, ou no alto das cristas arborizadas da montanha Navajo, ele escreveu cartas longas, luxuriantes, entusiasmadas para sua família e

amigos, maldizendo os estereótipos da civilização, gritando seu bárbaro alarido adolescente na cara do mundo.

Ruess escreveu muitas dessas cartas, que traziam o carimbo dos lugares remotos por onde passava: Kayenta, Chinle, Lukachukai; Zion Canyon, Grand Canyon, Mesa Verde; Escalante, Rainbow Bridge, Canyon de Chelly. Ao ler essa correspondência (coletada na meticulosamente pesquisada biografia de W. L. Rusho *Everett Ruess: a vagabond for beauty* [Everett Ruess: um vagabundo pela beleza), ficamos impressionados pelo anseio de Ruess de estabelecer conexão com o mundo natural e por sua quase incendiária paixão pelas regiões por onde passava. "Tive algumas experiências fantásticas no deserto desde a última vez que lhe escrevi — irresistíveis, empolgantes", escreveu, arrebatado, para seu amigo Cornel Tengel. "Mas acontece que estou sempre empolgado. Preciso disso para me manter vivo."

A correspondência de Everett Ruess revela paralelos incomuns entre ele e Chris McCandless. Eis alguns trechos de três de suas cartas:

Venho pensando cada vez mais que deverei ser sempre um caminhante solitário da natureza. Meu Deus, como a trilha me atrai. Você não pode compreender esse incansável fascínio. Ao cabo de tudo, a trilha solitária é o melhor. [...] Jamais deixarei de vaguear. E quando chegar o momento de morrer, encontrarei o lugar mais selvagem, mais solitário, mais desolado que exista.

A beleza deste país está se tornando parte de mim. Sinto-me mais desprendido da vida e de alguma forma mais bondoso. [...] Tenho alguns bons amigos aqui, mas ninguém que entenda realmente por que estou aqui ou o que faço. Não sei de ninguém que teria mais do que uma compreensão parcial; fui muito longe sozinho.
Sempre me senti insatisfeito com a vida que a maioria das pessoas leva. Quero sempre viver com mais intensidade e riqueza.

Em minhas perambulações deste ano corri mais riscos e tive aventuras mais loucas do que nunca. E que terras magníficas vi — tremendas extensões de deserto selvagem, mesas perdidas, montanhas azuis erguendo-se das areias rubras do deserto, desfiladeiros de um metro e meio de largura no fundo e dezenas de metros de profundidade, aguaceiros despencando

101

com estrondo por desfiladeiros sem nome, e centenas de casas dos moradores de cavernas rochosas, abandonadas há mil anos.

Meio século depois, McCandless parece-se estranhamente com Ruess quando declara num postal para Wayne Westerberg que "decidi que vou levar esta vida por algum tempo. A liberdade e a beleza simples dela são boas demais para deixar passar". E ecos de Ruess podem ser ouvidos também na última carta de McCandless para Ronald Franz (ver pp. 65-7).

Ruess era tão romântico quanto McCandless, se não mais, e igualmente desatento à segurança pessoal. Clayborn Lockett, o arqueólogo que empregou por pouco tempo Ruess como cozinheiro enquanto escavava uma caverna dos anasazis em 1934, disse a Rusho que "ficou estarrecido com a maneira aparentemente descuidada com que Everett andava em rochedos perigosos".

Com efeito, o próprio Ruess vangloria-se em uma de suas cartas: "Centenas de vezes confiei minha vida ao arenito farelento e a beiradas quase verticais na busca de água ou habitações das rochas. Duas vezes quase fui morto pelos chifres de um touro selvagem. Mas sempre, até agora, escapei ileso e segui em frente para novas aventuras". E em sua carta final ele confessa com indiferença a seu irmão:

> Algumas vezes, escapei por pouco de cascavéis e do desmoronamento de rochas. A última desventura aconteceu quando Chocolatero [aquele burro] mexeu com abelhas selvagens. Algumas ferroadas a mais poderiam ter sido fatais para mim. Demorei três ou quatro dias para conseguir abrir os olhos e recuperar o uso das mãos.

Também como McCandless, Ruess não era detido por desconforto físico; às vezes, parecia até saudá-lo. "Há seis dias estou sofrendo com o veneno semestral de toxicodendro. Meus sofrimentos estão longe de acabar", ele conta a seu amigo Bill Jacobs. E continua:

> Durante dois dias não podia dizer se estava vivo ou morto. Eu me contorcia e retorcia no calor, com enxames de formigas e moscas em cima de mim, enquanto o veneno exsudava e grudava em meu rosto, nos braços e nas costas. Não comi nada — não havia nada a fazer senão sofrer filosoficamente...
> Eu sempre pego isso, mas me recuso a ser expulso das florestas.

E como McCandless, depois de iniciar sua odisseia terminal, Ruess adotou um nome novo, ou antes, uma série de nomes novos. Numa carta datada de 1º de março de 1931, ele informa à família que passou a chamar-se Lan Rameau e solicita que eles "por favor, respeitem meu nome artístico. [...] Como se diz isso em francês? *Nom de broushe* ou o quê?". Dois meses depois, no entanto, outra carta explica que "mudei de nome novamente, para Evert Rulan. Os que me conheciam anteriormente acharam que meu nome era esquisito e uma afetação de francesismo". Então, em agosto do mesmo ano, sem explicações, volta a chamar-se Everett Ruess e continua a fazê-lo nos três anos seguintes, até entrar na garganta de Davis. Ali, por algum motivo desconhecido, gravou o nome Nemo — "ninguém", em latim — no arenito macio e depois sumiu. Tinha vinte anos de idade.

As últimas cartas que alguém recebeu de Ruess foram postadas no povoado mórmon de Escalante, 92 quilômetros ao norte da garganta de Davis, a 11 de novembro de 1934. Dirigidas aos pais e ao irmão, indicam que ele estaria incomunicável por "um mês ou dois". Oito dias depois de enviá-las, Ruess encontrou dois pastores de ovelhas a cerca de um quilômetro e meio da garganta e passou duas noites no acampamento deles; esses homens foram as últimas pessoas conhecidas que viram o jovem vivo.

Cerca de três meses depois que Ruess partiu de Escalante, seus pais receberam um feixe de cartas fechadas devolvidas pelo correio de Marble Canyon, donde Everett deveria ter chegado havia muito tempo. Preocupados, Christopher e Stella Ruess contataram as autoridades de Escalante, que organizaram um grupo de busca no início de março de 1935. Partindo do acampamento de pastores onde ele fora visto pela última vez, começaram a vasculhar a região circundante e logo em seguida encontraram os dois burros de Everett no fundo da garganta de Davis, pastando felizes em um curral improvisado feito de ramos e galhos de árvores.

Os burros estavam confinados no desfiladeiro, logo acima de onde os degraus dos mórmons atravessam o chão da garganta. A pouca distância correnteza abaixo, a equipe de busca achou sinais inconfundíveis do acampamento de Ruess e depois, na entrada de um celeiro anasazi, sob um magnífico arco natural, deram com "NEMO 1934" gravado numa laje de pedra. Quatro potes anasazis estavam cuidadosamente arrumados numa rocha próxima. Três meses depois, encontrou-se outra inscrição semelhante um pouco abaixo da garganta (as águas do lago Powell, que começaram a subir com a construção da barragem de Glen Canyon, em 1963, apagaram há muito tempo as inscrições), mas, exceto pelos burros e seus arreios, nada dos pertences de Ruess — sua parafernália de camping, diários e pinturas — jamais foi achado.

É amplamente aceito que Ruess despencou para a morte quando escalava uma das paredes do desfiladeiro. Tendo em vista a natureza traiçoeira da topografia local (a maioria dos rochedos que crivam a região é composta de arenito navajo, um estrato farelento que a erosão transforma em precipícios bojudos e lisos) e o gosto de Ruess por escaladas perigosas, trata-se de uma hipótese plausível. Porém, buscas meticulosas nos rochedos próximos e distantes não desenterraram nenhum resto humano.

E como dar conta do fato de que Ruess deixou a garganta com equipamentos pesados, mas sem seus burros de carga? Essas circunstâncias desconcertantes levaram alguns investigadores a concluir que Ruess foi morto por um bando de ladrões de gado que agia na região, que depois roubaram suas coisas e enterraram seu corpo ou jogaram-no no rio Colorado. Essa teoria também é plausível, mas não existe prova concreta do crime.

Pouco depois do desaparecimento de Everett, seu pai sugeriu que o garoto provavelmente se inspirara nas *Vinte mil léguas submarinas*, de Jules Verne, para chamar-se Nemo. No romance, que lera muitas vezes, o protagonista capitão Nemo foge da civilização e corta "todos os laços com a terra". W. L. Rusho, o biógrafo de Everett, concorda com a avaliação de Christopher Ruess, argumentando que sua "retirada da sociedade organizada, seu desprezo pelos prazeres mundanos e sua assinatura na garganta de Davis, tudo indica fortemente que ele se identificava muito com a personagem de Jules Verne".

O aparente fascínio de Ruess pelo capitão Nemo alimentou especulações de mais de um punhado de mitógrafos de Ruess de que Everett passou a perna no mundo depois de sair da garganta de Davis e está — ou estava — muito vivo, morando tranquilamente em algum lugar com outra identidade. Há um ano, enquanto enchia o tanque de meu carro em

Kingman, Arizona, comecei a conversar sobre Ruess com o frentista do posto, homem de meia-idade, baixo, encolhido, com salpicos de Skoal manchando os cantos da boca. Falando com convicção persuasiva, ele jurou que "conhecia um tipo que tinha com certeza estado com Ruess", no final da década de 1960, numa cabana remota na Reserva Indígena dos Navajos. Segundo o amigo do frentista, Ruess estava casado com uma mulher navajo, com quem tivera pelo menos um filho. A veracidade disso e de outros relatos de aparições relativamente recentes de Ruess é, desnecessário dizer, extremamente suspeita.

Ken Sleight, que passou mais tempo investigando o enigma de Everett Ruess do que qualquer outra pessoa, está convencido de que o garoto morreu em 1934 ou no início de 1935 e acredita que sabe como ele encontrou seu fim. Sleight, com 65 anos de idade, é guia profissional de rios e rato do deserto com formação mórmon e reputação de insolente. Quando Edward Abbey estava escrevendo *The monkey wrench gang* [A gangue da chave inglesa], seu romance picaresco sobre ecoterrorismo na região dos cânions, dizia-se que seu amigo Ken Sleight inspirara o personagem Seldom Seen Smith [Raramente Visto Smith]. Sleight vive na região há quarenta anos, visitou praticamente todos os lugares que Ruess visitou, falou com muita gente que cruzou o caminho dele e levou Waldo, o irmão mais velho de Everett, à garganta de Davis para visitar o local do desaparecimento do irmão.

"Waldo acha que seu irmão foi morto", diz Sleight. "Mas eu não concordo. Morei em Escalante durante dois anos. Conversei com os caras que são acusados de matá-lo e simplesmente não acredito que eles tenham feito isso. Mas quem sabe? Nunca se pode dizer com certeza o que uma pessoa faz em segredo. Tem gente que acha que Everett caiu de um penhasco. Bem, é possível. Isso é fácil de acontecer naquela região. Mas acho que não foi isso o que aconteceu. Vou lhe dizer o que eu penso: acho que ele se afogou."

Anos atrás, quando estava descendo a garganta Grand, tributária do rio San Juan, cerca de cinquenta quilômetros a leste da garganta de Davis, Sleight descobriu o nome Nemo gravado na argamassa de barro mole de um celeiro anasazi. Sleight especula que Ruess fez essa inscrição não muito tempo depois de partir da garganta de Davis.

"Depois de deixar seus burros no curral, Ruess escondeu suas coisas em alguma caverna e partiu, brincando de capitão Nemo. Ele tinha amigos indígenas na Reserva Navajo e é para lá que acho que ele ia", explica Sleight. Uma rota lógica para a terra dos navajos levaria Ruess a atravessar o rio Colorado em Furo-na-Pedra, depois seguir ao longo de uma trilha acidentada aberta em 1880 por colonos mórmons através da mesa Wilson e dos montes Clay e, finalmente, descer a garganta Grand até o rio San Juan, em cuja margem oposta fica a reserva. "Everett gravou seu Nemo na ruína da garganta Grand, cerca de um quilômetro e meio abaixo da foz do arroio Collins, depois continuou até o San Juan. E quando tentou atravessar o rio a nado afogou-se. É isso que eu acho."

Sleight acredita que, se Ruess tivesse atravessado o rio vivo e chegado à reserva, seria impossível para ele esconder sua presença, "mesmo que ainda estivesse brincando de Nemo. Everett era um solitário, mas gostava demais de gente para ficar lá e viver em segredo o resto de sua vida. Muitos de nós são assim — eu sou assim, Ed Abbey era assim e parece que esse menino McCandless era assim também: gostamos de companhia, mas não suportamos ficar perto das pessoas durante muito tempo. Então caímos fora, voltamos por um tempo, depois sumimos de novo. Era isso que Everett estava fazendo".

"Everett era estranho", admite Sleight. "Meio diferente. Mas ele e McCandless pelo menos tentaram seguir seus sonhos. Isso é que faz a grandeza deles. Eles tentaram. Pouca gente faz isso."

Ao tentar compreender Everett Ruess e Chris McCandless, pode ser esclarecedor levar em consideração seus atos em um contexto mais amplo. É proveitoso dar uma olhada em equivalentes de um lugar distante e de um século remoto.

Ao largo da costa sudeste da Islândia existe uma ilha de barreira baixa chamada Papós. Nua e rochosa, perpetuamente varrida por ventos fortes do Atlântico Norte, seu nome advém de seus primeiros colonos, desaparecidos há muito tempo, os monges irlandeses conhecidos como *papar*. Numa tarde de verão, caminhando por esse litoral retorcido, topei com uma matriz de vagos retângulos de pedra enterrados na tundra: vestígios das habitações antigas dos monges, centenas de anos mais velhos que as ruínas dos anasazis, na garganta de Davis.

Os monges chegaram nos séculos V e VI, tendo navegado a vela e a remo desde a costa ocidental da Irlanda. Utilizando barcos pequenos e abertos chamados *curraghs*, feitos de couro de gado esticado sobre estruturas de vime, eles atravessaram um dos trechos de oceano mais traiçoeiros do mundo sem saber o que iriam encontrar do outro lado, se é que iriam achar alguma coisa.

Os *papar* não arriscaram suas vidas — e perderam-nas em récuas não registradas — em busca de riqueza ou glória pessoal, ou para reivindicar novos territórios em nome de algum déspota. Como salienta o grande explorador do Ártico e prêmio Nobel Fridjof Nansen, "essas viagens notáveis foram motivadas principalmente pelo desejo de encontrar lugares solitários, onde esses anacoretas poderiam viver em paz, longe do turbilhão e das tentações do mundo". No século IX, quando o primeiro punhado de noruegueses apareceu nas praias da Islândia, os *papar* decidiram que o lugar ficara cheio demais, embora fosse quase desabitado. A reação dos monges foi embarcar em seus *curraghs* e sair remando na direção da Groenlândia. Foram levados a atravessar o oceano tempestuoso, a ir além do mundo conhecido por nada mais que uma fome do espírito, uma aspiração de intensidade tão bizarra que excede a imaginação moderna.

Lendo sobre esses monges, emocionamo-nos com a coragem, a inocência afoita e a urgência do desejo deles. Lendo sobre esses monges, é impossível não pensar em Everett Ruess e Chris McCandless.

10
FAIRBANKS

MORRENDO LONGE DA CIVILIZAÇÃO, UM ANDARILHO
REGISTROU O TERROR

ANCHORAGE, 12 de setembro (AP) — No domingo passado, um jovem andarilho, detido por um ferimento, foi encontrado morto num acampamento remoto no interior do Alasca. Ninguém sabe ao certo quem era ele. Mas seu diário e dois bilhetes encontrados no acampamento contam uma história angustiante de seus esforços desesperados e progressivamente inúteis para sobreviver.

O diário indica que o homem, que se acredita ser um americano entre vinte e tantos e trinta e poucos anos, pode ter se ferido numa queda e ficado preso no acampamento por mais de três meses. Ele conta como tentou salvar-se caçando e comendo plantas silvestres, enquanto ficava cada vez mais fraco.

Um dos bilhetes é um pedido de ajuda, dirigido a quem quer que pudesse passar pelo acampamento enquanto ele procurava alimento na área circundante. O segundo bilhete diz adeus ao mundo. [...]

A autópsia realizada em Fairbanks nesta semana concluiu que o homem morreu de inanição, provavelmente no final de julho. As autoridades descobriram entre os objetos da vítima um nome que acreditam ser o seu. Mas não conseguiram confirmar sua identidade até agora e, enquanto não houver confirmação, não revelarão o nome.

THE NEW YORK TIMES
13 DE SETEMBRO DE 1992

Quando o *The New York Times* publicou a história sobre o andarilho, fazia uma semana que a Força Pública do Alasca tentava descobrir sua identidade. Ao morrer, McCandless vestia um abrigo de moletom azul com o logotipo de uma empresa de guincho de Santa Bárbara; contatada, a empresa declarou não saber nada sobre ele ou como obtivera o agasalho. Muitas das anotações do curto e desconcertante diário eram observações concisas sobre flora e fauna, o que alimentou especulações de que McCandless fosse um biólogo de campo. Mas isso também não levou a lugar algum.

A 10 de setembro, três dias antes de a notícia chegar ao *Times*, a história foi publicada na primeira página do *Anchorage Daily News*.

Quando Jim Gallien viu a manchete e o mapa que a ilustrava indicando que o corpo fora encontrado quarenta quilômetros a oeste de Healy, na Stampede Trail, seus cabelos se arrepiaram: Alex. Gallien ainda tinha na memória a imagem do jovem esquisito e simpático entrando pela trilha com botas dois números maiores que as suas — as botas de Gallien, suas velhas Xtratufs marrons que persuadira o garoto a levar. "Lendo o artigo do jornal, por menos informação que tivesse, parecia a mesma pessoa", diz Gallien, "então telefonei para a guarda e disse: 'Ei, acho que dei uma carona para esse cara'."

"O.k., certo", respondeu o soldado Roger Ellis. "O que faz você pensar isso? Você é a sexta pessoa na última hora que telefona para dizer que sabe a identidade do rapaz." Mas Gallien insistiu e quanto mais falava mais diminuía o ceticismo de Ellis. Gallien descreveu várias peças de equipamento não mencionadas no jornal que combinavam com os apetrechos encontrados com o corpo. E então Ellis notou que a primeira anotação enigmática do diário dizia: "Saio de Fairbanks. Sentado Galliean. Dia de sorte".

A essa altura, os soldados tinham revelado o rolo de filme da Minolta do andarilho que continha vários autorretratos. "Quando trouxeram as fotos onde eu estava trabalhando, não tinha mais dúvida. O cara nas fotos era Alex", diz Gallien.

McCandless dissera a Gallien que era de Dakota do Sul e por isso a guarda mudou suas buscas imediatamente para lá, procurando por parentes. Um boletim enviado para todo o estado desencavou uma pessoa desaparecida chamada McCandless, por coincidência, de uma cidadezinha distante apenas 32 quilômetros da casa de Wayne Westerberg em Cartago; durante algum tempo, os soldados acharam que tinham encontrado seu homem. Mas isso também se revelou uma pista falsa.

Westerberg não tivera notícias do amigo que conhecia por Alex McCandless desde que recebera o postal de Fairbanks, na primavera anterior. A 13 de setembro, estava rodando por uma estrada vazia perto de Jamestown, Dakota do Norte, levando sua equipe de colheita para casa, em Cartago, depois de encerrar os quatro meses da estação de corte em Montana, quando o rádio VHF vociferou: "Wayne!", gritou a voz ansiosa de alguém da equipe que estava em outro caminhão. "Aqui é Bob. Você está ouvindo rádio?"

"Sim, Bobby. Aqui Wayne. O que há?"

"Rápido, liga na AM e pega o Paul Harvey. Ele está falando de um garoto que morreu de fome no Alasca. A polícia não sabe quem é. Parece muito com o Alex."

Westerberg achou a estação a tempo de pegar o fim do programa de Paul Harvey e foi forçado a concordar: os poucos detalhes faziam o andarilho anônimo se parecer desgraçadamente com seu amigo.

Assim que chegou a Cartago, um Westerberg abatido telefonou para a Força Pública do Alasca para contar o que sabia sobre McCandless. A essa altura, no entanto, histórias sobre o rapaz, inclusive trechos de seu diário, tinham ganhado destaque em jornais de todo o país. Em consequência, os soldados foram entupidos de telefonemas de gente dizendo que conhecia a identidade do andarilho e, por isso, foram menos receptivos com Westerberg do que com Gallien. "O policial me disse que tinham recebido mais de 150 chamadas de gente que achava que Alex era seu filho, seu amigo, seu irmão", explica Westerberg. "Bem, a essa altura eu estava meio puto de estar sendo enrolado, então disse a ele: 'Olha, eu não sou mais um louco chamando. Eu *sei* quem ele é. Ele trabalhou para mim. Acho que tenho até seu número da Previdência Social aqui em algum lugar'."

Westerberg remexeu nos arquivos do elevador de cereais até achar dois formulários W-4 que McCandless preenchera. No topo do primeiro, que datava de sua primeira visita a Cartago, em 1990, ele rabiscara "ISENTO ISENTO ISENTO ISENTO" e dera seu nome como sendo Iris Fucyu. Endereço: "Não é da sua maldita conta". Número da Previdência Social: "Esqueci". Mas no segundo formulário, datado de 30 de março de 1992, duas semanas antes de partir para o Alasca, ele assinara seu nome: "Chris J. McCandless". E no espaço para o número da Previdência Social escrevera "228-31-6704". Westerberg telefonou para o Alasca de novo. Dessa vez, os soldados o levaram a sério.

O número da Previdência Social era verdadeiro e colocava o endereço permanente de McCandless no Norte da Virgínia. As autoridades do Alasca entraram em contato com órgãos policiais daquele estado que, por sua vez, começaram a esquadrinhar listas telefônicas em busca do sobrenome McCandless. Walt e Billie McCandless haviam se mudado para o litoral de Maryland e não tinham mais telefone na Virgínia, mas o filho mais velho do primeiro casamento de Walt morava em Annandale e estava na lista; no final da tarde de 17 de setembro, Sam McCandless recebeu um telefonema de um investigador do setor de homicídios do condado de Fairfax.

Sam, nove anos mais velho que Chris, vira um artigo curto sobre o andarilho no *The Washington Post* alguns dias antes, mas confessa que "não me ocorreu que o andarilho pudesse ser Chris. Nem passou pela minha cabeça. É irônico porque quando li o artigo pensei: 'Oh, meu Deus, que tragédia terrível. Sinto realmente pena da família desse cara, quem quer que seja. Que história triste'".

Sam fora criado pela mãe na Califórnia e no Colorado, e só se mudara para a Virgínia em 1987, depois que Chris fora estudar em Atlanta. Assim, não conhecia muito bem seu meio-irmão. Mas, quando o investigador começou a perguntar se o andarilho se parecia com alguém que ele conhecesse, Sam relata, "tive bastante certeza de que era Chris. O fato de que fora para o Alasca, de que fora sozinho — tudo combinava".

A pedido do investigador, Sam foi ao Departamento de Polícia do condado de Fairfax, onde um policial lhe mostrou uma foto do andarilho que fora enviada por fax de Fairbanks. "Era uma ampliação de 20 por 25 centímetros", relembra Sam, "um close da cabeça. Seus cabelos eram longos e tinha barba. Chris usava quase sempre cabelos curtos e cara raspada. E o rosto no retrato estava extremamente macilento. Mas eu percebi no ato. Não havia dúvida. Era Chris. Fui para casa, peguei Michele, minha esposa, e fui de carro a Maryland para contar a papai e Billie. Eu não sabia o que iria dizer. Como se conta para alguém que seu filho está morto?"

11
CHESAPEAKE BEACH

Tudo mudara subitamente — o tom, o clima moral; não sabias o que pensar, a quem ouvir. Como se em toda a tua vida tivesses sido conduzido pela mão como uma criança pequena e de repente tivesses de ficar por tua própria conta, tinhas de aprender a andar sozinho. Não havia ninguém por perto, nem família nem pessoas cujo julgamento respeitasses. Em tal momento, sentias a necessidade de dedicar-te a algo absoluto — vida, verdade, beleza —, de ser regido por isso, em lugar das regras feitas pelos homens que tinham sido descartadas. Precisavas render-te a um tal objetivo último de modo mais pleno, mais sem reservas do que jamais fizeras nos velhos dias familiares e tranquilos, na velha vida que estava agora abolida e abandonada para sempre.

BORIS PASTERNAK
DOUTOR JIVAGO
TRECHO SUBLINHADO EM UM DOS LIVROS ENCONTRADOS
COM OS RESTOS DE CHRIS MCCANDLESS.
"NECESSIDADE DE UM OBJETIVO", ESTAVA ESCRITO COM A LETRA
DE MCCANDLESS NA MARGEM ACIMA DO TRECHO.

Samuel Walter McCandless, Jr., 56 anos de idade, é um homem taciturno, de barba, cabelos grisalhos compridos, puxados para trás de uma testa larga. Alto e bem-proporcionado, usa óculos de aros de metal que lhe dão um ar professoral. Sete semanas depois que o corpo de seu filho apareceu no Alasca embrulhado no saco de dormir azul que Billie fizera para ele, Walt observa um barco a vela que passa rapidamente sob a janela de sua residência à beira-mar. Enquanto lança um olhar perdido para a baía de Chesapeake, pergunta-se: "Como é possível que um menino com tanta compaixão pudesse causar tanta dor a seus pais?".

O lar dos McCandless em Chesapeake Beach, Maryland, é decorado com bom gosto, imaculado, nada fora do lugar. Janelas do chão ao teto abrem-se para o panorama enevoado da baía. Um grande Chevy Suburban e um Cadillac branco estão estacionados na frente, um Corvette 69 minuciosamente restaurado descansa na garagem, um catamarã de dez metros está atracado no cais. Quatro grandes quadros de avisos, cobertos com dezenas de fotos documentando toda a curta vida de Chris, ocupam há muitos dias a mesa da sala de jantar.

Andando em torno da exposição, Billie aponta Chris como uma criancinha, montado num cavalo de carrossel, Chris com oito anos de idade, embevecido numa capa impermeável amarela, em sua primeira viagem de mochila, Chris na formatura de segundo grau. "A parte mais dura", diz Walt, detendo-se numa foto de seu filho fazendo palhaçadas numas férias de família, sua voz falhando quase imperceptivelmente, "é simplesmente não tê-lo mais por perto. Passei muito tempo junto com Chris, talvez mais do que com meus outros filhos. Eu gostava realmente de sua companhia, embora ele nos frustrasse com tanta frequência."

Walt veste uma calça de moletom cinza, tênis de *racquetball* e um blusão de cetim de beisebol bordado com o logo do Laboratório de Propulsão a Jato. Apesar da roupa informal, ele projeta um ar de autoridade. Entre os companheiros de seu campo misterioso — uma tecnologia avançada chamada radar de abertura sintética, ou SAR — ele é uma eminência. O SAR é um componente das altas missões espaciais desde 1978, quando o primeiro satélite equipado com ele, o Seasat, foi colocado em órbita em torno da Terra. O diretor de projetos desse lançamento pioneiro era Walt McCandless.

A primeira linha do currículo resumido de Walt informa: "Autorização: Atual Departamento de Defesa dos EUA *Top Secret*". Um pouco adiante, o relato de sua experiência profissional começa: "Realizo serviços de consultoria privada alinhados com projetos de sistemas de satélites e de sensores remotos e processamento de sinais associado, redução de dados e tarefas de extração de informação". Os colegas referem-se a ele como brilhante.

Walt está acostumado a dar ordens. Assumir o controle é algo que faz inconscientemente, sem refletir. Embora tenha uma fala mansa, na cadência sem pressa do Oeste americano, sua voz tem gume, e o conjunto de sua mandíbula trai uma corrente subterrânea de energia nervosa. Mesmo estando do outro lado da sala, fica claro que alguma voltagem muito alta está crepitando por seus fios. É impossível deixar de reconhecer de onde vinha a veemência de Chris.

Quando Walt fala, as pessoas escutam. Se algo ou alguma coisa o desagrada, seus olhos se estreitam e seu discurso torna-se abreviado. Segundo membros da grande família, seu humor pode ser carrancudo e volátil, embora digam que seu famoso gênio tenha perdido muito de sua volatilidade em anos recentes. Depois que Chris deu o bilhete azul para todo mundo em 1990, algo mudou em Walt. O desaparecimento de seu filho assustou-o e abrandou-o. Um lado mais suave, mais tolerante de sua personalidade aflorou.

Walt teve uma infância pobre em Greeley, Colorado, uma cidade agrícola no planalto varrido pelos ventos próximo à fronteira com o Wyoming. Sua família, ele declara friamente, "estava do lado errado dos trilhos". Menino brilhante — e estimulado —, ganhou uma bolsa de estudos para a Universidade Estadual do Colorado, na cidade próxima de Fort Collins. Para equilibrar o orçamento, teve uma variedade de empregos de tempo parcial ao longo da faculdade, inclusive numa capela mortuária, mas seu dinheiro mais constante vinha de tocar com Charlie Novak, líder de um conhecido quarteto de jazz. O grupo de Novak, com Walt ao piano, fazia o circuito regional, cobrindo números de dança e velhos standards em espeluncas fumacentas acima e abaixo da cadeia de montanhas Front. Músico inspirado com bastante talento natural, Walt ainda se apresenta de vez em quando.

Em 1957, os soviéticos lançaram o Sputnik I, jogando uma sombra de medo sobre os Estados Unidos. Na histeria nacional que se seguiu, o Congresso destinou milhões e milhões de dólares para a indústria aeroespacial da Califórnia. Para o jovem Walt McCandless — recém--saído da faculdade, casado e com um bebê a caminho — o Sputnik abriu as portas do futuro. Depois de receber o diploma de graduação, Walt se empregou na Hughes Aircraft, que o enviou para Tucson por três anos, onde fez mestrado em teoria da antena na Universidade do Arizona. Assim que terminou a tese — "Uma análise de hélices cônicas" — transferiu-se para a grande operação californiana da Hughes, onde as coisas realmente aconteciam, ansioso para deixar sua marca na corrida espacial. Comprou um pequeno bangalô em Torrance, trabalhou duro, subiu rápido na carreira. Sam nasceu em 1959 e quatro outros filhos — Stacy, Shawna, Shelly e Shannon — vieram em rápida sucessão. Walt foi nomeado diretor de testes e chefe de seção para a missão Surveyor I, primeiro veículo espacial a fazer uma descida suave na Lua. Sua estrela brilhava e estava em ascensão.

Por volta de 1965, no entanto, seu casamento ia mal. Ele e a esposa, Marcia, se separaram. Walt começou a namorar uma secretária da Hughes chamada Wilhelmina Johnson — todos a chamavam de Billie — que tinha 22 anos e admiráveis olhos negros. Eles se apaixonaram e foram morar juntos. Billie ficou grávida. Do tipo mignon, em nove meses engordou apenas três quilos e meio e nem mesmo usou roupas de grávida. A 12 de fevereiro de 1968, Billie deu à luz um filho. Tinha pouco peso, mas era saudável e ativo. Walt comprou para Billie um violão Giannini, em que ela tocava canções de ninar para acalmar o agitado bebê. Vinte e dois anos depois, os guardas do Serviço Nacional de Parques encontrariam o mesmo violão no assento traseiro de um Datsun amarelo abandonado perto da margem do lago Mead.

É impossível saber que convergência obscura de cromossomos, dinâmica familiar e alinhamento das estrelas foi responsável, mas Christopher Johnson McCandless veio ao mundo com dons incomuns e não seria desviado facilmente de sua trajetória. Aos dois anos de idade, levantou-se no meio da noite, conseguiu sair de casa sem acordar os pais e entrou numa casa da sua rua para saquear a gaveta de doces do vizinho.

Aos três anos, depois de receber uma nota alta num teste-padrão de escolaridade, Chris foi posto num programa acelerado para alunos bem-dotados. "Ele não ficou contente com isso", lembra Billie, "porque significava que teria de fazer mais lições. Então passou uma semana tentando cair fora do programa. Aquele menino procurou convencer a professora, o diretor — quem quer que lhe desse atenção — de que os resultados do teste estavam errados, que ele não deveria estar ali. Soubemos disso na primeira reunião de pais e mestres. Sua professora nos levou para um canto e contou-nos que 'Chris marcha em ritmo diferente'. Ela apenas sacudiu a cabeça."

"Mesmo quando éramos pequenos", diz Carine, que nasceu três anos depois de Chris, "ele era muito ensimesmado. Não era antissocial — sempre teve amigos e todo mundo gostava dele —, mas podia se isolar e entreter-se durante horas. Não parecia precisar de brinquedos ou amigos. Podia ficar sozinho sem sentir-se solitário."

Quando Chris tinha seis anos, Walt recebeu uma oferta de emprego da Nasa que levou a família para a capital do país. Compraram uma casa de vários andares na Willet Drive, em Annandale, na região de Washington. Tinha persianas verdes, uma *bay window*, um belo quintal. Quatro anos depois de chegar à Virgínia, Walt deixou a Nasa e abriu uma firma de consultoria — User Systems, Incorporated — que ele e Billie dirigiam em casa.

O dinheiro estava curto. Além das tensões financeiras de trocar um emprego estável pelas incertezas do negócio próprio, Walt tinha duas famílias para sustentar. Para ter sucesso, diz Carine, "papai e mamãe trabalhavam muito. Quando Chris e eu acordávamos de manhã para ir à escola, estavam no escritório trabalhando. Quando chegávamos em casa à tarde, estavam no escritório trabalhando. Quando íamos para a cama à noite, estavam no escritório trabalhando. Eles tocavam muito bem o negócio e por fim começaram a ganhar muito dinheiro, mas trabalhavam o tempo todo".

Era uma vida estressante. Ambos são muito tensos, emocionais, pouco inclinados a ceder terreno. De vez em quando, a tensão explodia em briga verbal. Em momentos de raiva, um ou outro ameaçava se divorciar. O rancor era mais fumaça que fogo, diz Carine, mas "acho que era uma das razões por que Chris e eu éramos tão próximos. Aprendemos a contar um com o outro quando papai e mamãe não estavam bem".

Mas havia bons momentos também. Nos fins de semana e nas férias, a família pegava a estrada: iam até Virginia Beach e o litoral da

Carolina, ao Colorado para visitar os filhos do primeiro casamento de Walt, aos Grandes Lagos, às montanhas Blue Ridge. "Acampávamos atrás do carro, a Chevy Suburban", explica Walt. "Mais tarde, compramos um trailer Airstream e saíamos com ele. Chris adorava aquelas viagens, quanto mais longas, melhor. Houve sempre um pouco de sede de viagens na família e logo ficou claro que Chris tinha herdado isso."

No decorrer de suas andanças, a família visitou Iron Mountain, Michigan, uma pequena cidade mineira nas florestas da península Superior, terra natal de Billie. Ela era uma das seis crias de Loren Johnson, supostamente motorista de caminhão, mas que "nunca ficava empregado por muito tempo", diz ela.

"O pai de Billie não se enquadrava muito bem na sociedade", explica Walt. "Em muitos aspectos, ele e Chris eram bem parecidos."

Loren Johnson era orgulhoso, teimoso e sonhador, um homem do mato, músico autodidata, autor de poesias. Em torno de Iron Mountain, sua relação com os animais da floresta era lendária. "Estava sempre criando animais selvagens", diz Billie. "Quando encontrava um bicho preso em armadilha, levava para casa, amputava a perna ferida, cuidava do animal e depois o soltava. Uma vez papai atropelou uma cerva, deixando sua filhote órfã. Ficou arrasado. Mas pegou o animalzinho e criou-o dentro de casa, atrás do fogão a lenha, como se fosse um de seus filhos."

Para sustentar a família, Loren tentou uma série de negócios, nenhum com muito êxito. Criou galinhas por um tempo, depois visons e chinchilas. Abriu um estábulo e alugava cavalos para turistas. Boa parte da comida que punha na mesa vinha da caça, apesar do fato de sentir-se incomodado matando animais. "Papai chorava cada vez que matava um cervo", lembra Billie, "mas tínhamos que comer, então ele caçava."

Trabalhava também de guia de caça, o que lhe era ainda mais doloroso. "Homens da cidade vinham em seus enormes Cadillacs e papai levava-os a seu campo de caça por uma semana, para conseguirem um troféu. Ao saírem, ele dava a garantia de um cervo, mas a maioria deles atirava tão mal e bebia tanto que não conseguia acertar em nada. Então, papai tinha de matar o animal. Meu Deus, como ele odiava aquilo!"

Não é de surpreender que Loren tenha se encantado com Chris. E Chris adorava seu avô. O conhecimento do mato que o velho tinha, sua afinidade com a natureza deixaram uma impressão profunda no menino. Quando Chris tinha oito anos, Walt levou-o para a primeira excursão de mochila nas costas, uma caminhada de três dias no Parque Nacional Shenandoah para escalar o Old Rag. Conseguiram chegar ao topo e Chris carregou sua mochila todo o tempo. Escalar montanhas tornou-se uma tradição para pai e filho; a partir de então, subiam o Old Rag quase todos os anos.

Quando Chris ficou um pouco mais velho, Walt levou Billie e os filhos de ambos os casamentos para escalar o pico Longs, no Colorado, ponto mais alto do Parque Nacional das Montanhas Rochosas, com 4348 metros. Walt, Chris e o filho mais moço do primeiro casamento chegaram a 3300 metros. Ali, num passo chamado de Buraco da Fechadura, Walt decidiu voltar. Estava cansado e sentindo os efeitos da altitude. A rota para cima parecia escorregadia, exposta, perigosa. "Para mim chegara, mas Chris queria continuar até o topo. Eu disse que nem pensar. Ele tinha então apenas doze anos e só lhe restava se queixar. Se tivesse catorze ou quinze, teria simplesmente ido em frente sem mim."

Walt fica quieto, olhando distraído ao longe. "Chris não tinha medo desde pequeno", retoma após uma longa pausa. "Não achava que as probabilidades se aplicavam a ele. Estávamos sempre tentando puxá-lo de volta da beirada."

Chris tinha sucesso em quase tudo o que lhe agradava. Na escola, conseguia notas A com pouco esforço. Somente uma vez recebeu nota mais baixa que B: um I em física, no colégio. Quando viu o boletim, Walt marcou um encontro com o professor para saber qual era o problema. "Era um coronel reformado da força aérea, um sujeito mais velho, tradicional, bastante rígido. Ele explicara no começo do semestre que tinha cerca de duzentos alunos e que por isso os relatórios de laboratório tinham de ser escritos num determinado formato para facilitar a correção. Chris achou que era uma regra estúpida e decidiu ignorá-la. Fez seus relatórios, mas não no formato correto, e o professor deu-lhe I. Depois de conversar com o sujeito, voltei para casa e disse a Chris que recebera a nota que merecia."

Chris e Carine herdaram a aptidão musical de Walt. Chris aprendeu violão, piano, trompa. "Era estranho ver isso num menino da sua idade", diz Walt, "mas ele adorava Tony Bennett. Cantava músicas como 'Tender is the night' acompanhado por mim ao piano. Ele era bom." Com efeito, num vídeo simplório que Chris fez na faculdade, pode-se ouvi-lo berrando "Summers by the sea/ Sailboats in Capri" com pose impressionante, cantando como um profissional da noite.

Trompista bem-dotado, ainda adolescente participou da Sinfônica da Universidade Americana, mas saiu, segundo Walt, depois de criticar as regras impostas por um maestro de banda colegial. Carine lembra que havia mais do que isso: "Ele deixou de tocar, em parte, porque não gostava que lhe dissessem o que fazer, mas também por minha causa. Eu queria ser como Chris e comecei a tocar trompa também. E aconteceu que naquele instrumento eu era melhor do que ele. Eu estava no primeiro ano e ele no último quando me colocaram de primeira trompista da banda da escola; de forma alguma ele iria sentar-se atrás da irmã pentelha".

A rivalidade musical entre Chris e Carine parece não ter afetado o relacionamento deles. Eram grandes amigos desde muito pequenos, e passavam horas construindo fortes com almofadas e cobertores na sala de estar em Annandale. "Ele sempre foi muito legal comigo", conta Carine, "e muito protetor. Segurava minha mão quando andávamos na rua. Quando ele estava no ginásio e eu no primário, o seu horário de saída era antes do meu, mas ele dava um tempo na casa de seu amigo Brian Paskowitz para podermos voltar juntos para casa."

Chris herdou as feições angelicais de Billie, notadamente os olhos, cujas profundezas negras traíam todas as suas emoções. Embora fosse baixo — nas fotografias da escola, é o mais baixo da turma e está sempre na fileira da frente —, era forte para seu tamanho e com boa coordenação. Experimentou vários esportes, mas tinha pouca paciência para aprender os detalhes de cada um. Quando ia esquiar, nas férias familiares no Colorado, raramente se preocupava em fazer curvas: simplesmente se agachava numa pose de gorila, pés bem abertos para ganhar estabilidade, e apontava as pranchas direto para baixo do morro. Da mesma forma, acrescenta Walt, "quando tentei ensiná-lo a jogar golfe, ele se recusou a aceitar que a forma é tudo. Ele tomava o maior impulso já visto, sempre. Às vezes, jogava a bola a cem metros, mas com mais frequência dava um golpe enviesado até o próximo espaço vazio do campo".

"Chris tinha muito talento natural", continua Walt, "mas se você tentasse treiná-lo, polir sua habilidade, extrair aqueles dez por cento finais, erguia-se um muro. Ele resistia a instruções de qualquer tipo. Sou um jogador sério de *racquetball* e ensinei Chris a jogar quando ele tinha onze anos. Aos quinze ou dezesseis, ganhava de mim constantemente. Era muito, muito rápido e tinha muita potência, mas quando sugeri que trabalhasse as falhas de seu jogo, recusou-se a escutar. Certa vez, num torneio, ele jogou contra um homem de 45 anos com muita experiência. Chris ganhou um monte de pontos no início, mas o sujeito estava testando-o metodicamente, procurando suas fraquezas. Assim que descobriu qual o lance que causava mais dificuldades para Chris, jogou sempre em cima desse ponto fraco e pronto."

Nuances, estratégia e qualquer coisa além dos rudimentos da técnica eram perda de tempo com Chris. A única maneira pela qual admitia enfrentar um desafio era metendo a cara logo, aplicando todo o impacto de sua extraordinária energia. E, em consequência, frustrava-se frequentemente. Foi só quando começou a correr, uma atividade que recompensa a vontade e a determinação mais do que a sutileza e a astúcia, que encontrou sua vocação atlética. Aos dez anos, entrou na primeira competição, uma corrida de dez quilômetros. Terminou em 69º lugar, chegando à frente de mais de mil adultos, e foi fisgado. Na metade da adolescência, já era um dos melhores fundistas da região.

Quando Chris estava com doze anos, Walt e Billie compraram um cachorrinho para Carine, um pastor shetland chamado Buckley que Chris passou a levar junto em suas corridas de treinamento. "Buckley era supostamente meu", diz Carine, "mas ele e Chris tornaram-se inseparáveis. Buck era rápido e sempre chegava de volta em casa antes de Chris. Lembro como Chris ficou excitado na primeira vez em que chegou antes de Buckley. Saiu gritando pela casa: 'Ganhei do Buck! Ganhei do Buck!'"

Na W. T. Woodson School — uma grande instituição pública em Fairfax, Virgínia, com reputação de altos padrões de ensino e equipes atléticas vencedoras — Chris era o capitão da equipe de *cross-country*.

Ele adorava o posto e inventava novos regimes extenuantes de treinamento que seus colegas de equipe ainda lembram muito bem.

"O negócio dele era realmente se esfalfar", explica Gordy Cucullu, um membro mais jovem da equipe. "Chris inventou um exercício que chamava de guerreiros da estrada: levava a gente para longas corridas mortais por lugares como campos de fazendas e pátio de obras, lugares onde a gente não deveria estar, e tentava intencionalmente fazer a gente se perder. Corríamos o mais rápido que podíamos, por estradas estranhas, no meio do mato, qualquer lugar. A ideia era fazer a gente perder a orientação, empurrar para um território desconhecido. Então, passávamos a correr num ritmo um pouco mais lento até encontrar uma estrada conhecida e correr de volta para casa em velocidade máxima. Num certo sentido, foi assim que Chris viveu a vida inteira."

McCandless considerava correr um exercício espiritual intenso, beirando a religião. "Chris usava o aspecto religioso para tentar nos motivar", relembra Eric Hathaway, outro amigo da equipe. "Dizia-nos para pensar sobre a maldade do mundo, todo o ódio, e imaginar-nos correndo contra as forças da escuridão, o muro maligno que estava tentando evitar que déssemos o melhor de nós mesmos. Ele acreditava que fazer o melhor era uma coisa puramente mental, uma simples questão de aproveitar toda a energia disponível. Colegiais impressionáveis, ficávamos estatelados com aquele tipo de conversa."

Mas correr não era uma questão exclusivamente espiritual: era também uma competição. Quando corria, McCandless corria para ganhar. "Chris levava o ato de correr realmente a sério", diz Kris Maxie Gillmer, uma menina da equipe que talvez fosse a amiga mais próxima de McCandless na escola. "Lembro-me de estar na linha de chegada, observando Chris correr, sabendo o quanto ele queria se sair bem e como ficaria desapontado se não fosse tão rápido quanto esperava. Depois de uma corrida ruim, ou mesmo de um tempo ruim nos treinamentos, era muito duro com ele mesmo. E não queria falar com ninguém. Se eu tentava consolá-lo, ficava aborrecido e me dava as costas. Ele internalizava o desapontamento. Ia para algum lugar sozinho e se culpava.

"Não era só correr que Chris levava a sério demais", acrescenta Gillmer. "Ele era assim com tudo. Não se espera que você pense sobre

coisas muito sérias no colégio. Mas eu pensava, e ele também, e por isso a gente se dava bem. Na hora do recreio, ficávamos perto do seu armário e falávamos sobre a vida, a situação do mundo, coisas sérias. Sou negra e nunca entendi direito por que todo mundo dá tanta importância à raça. Chris conversava comigo sobre esse tipo de coisa. Ele compreendia. Estava sempre questionando a coisa da mesma maneira. Eu gostava muito dele. Era um cara realmente legal."
McCandless preocupava-se com as injustiças. Em seu último ano em Woodson, ficou obcecado com a opressão racial na África do Sul. Falava seriamente com seus amigos sobre contrabandear armas para aquele país e participar da luta contra o apartheid. "De vez em quando, discutíamos isso", lembra Hathaway. "Chris não gostava de usar os canais certos, trabalhar dentro do sistema, esperar sua vez. Dizia: 'Ora, Eric, podemos levantar dinheiro suficiente para ir à África do Sul já. É só uma questão de decidir ir'. Eu contra-argumentava dizendo que éramos apenas dois garotos, que não faríamos diferença alguma. Mas não dava para discutir com Chris. Ele retrucava com alguma coisa como 'ah, então você não se importa com o que é certo e errado'."

Nos fins de semana, quando seus colegas de escola iam para festinhas e tentavam entrar nos bares de Georgetown, McCandless perambulava pelos bairros mais miseráveis de Washington, conversando com prostitutas e sem-teto, pagando-lhes refeições, sugerindo-lhes seriamente maneiras de melhorar suas vidas.

"Chris não entendia como era possível deixar as pessoas passar fome, especialmente neste país", diz Billie. "Vociferava contra esse tipo de coisa durante horas."

Em certa ocasião, apanhou um sem-teto nas ruas do D. C., levou--o para casa, na afluente Annandale, e instalou secretamente o sujeito no trailer dos pais estacionado ao lado da garagem. Walt e Billie nunca souberam que estavam hospedando um mendigo.

Em outra ocasião, Chris foi de carro até a casa de Hathaway e anunciou que estavam indo ao centro da cidade. "Legal!", Hathaway lembra-se de ter pensado. "Era sexta de noite e supus que íamos para Georgetown nos divertir. Em vez disso, Chris estacionou na rua Catorze, que naquela época era uma zona barra-pesada da cidade. Disse então: 'Sabe, Eric, você pode ler sobre esse negócio, mas não consegue entender enquanto não vivenciar isso. É o que vamos fazer esta noite'. Passamos as horas seguintes circulando por lugares horrorosos, falando com cafetões, prostitutas e gente pobre. Eu estava apavorado. "Lá pelo fim da noite, Chris perguntou quanto dinheiro eu tinha. Eu disse cinco dólares. Ele tinha dez. 'O.k., você paga a gasolina', disse ele. 'Vou pegar um pouco de comida.' Então gastou os dez paus num grande saco de hambúrgueres e saímos distribuindo-os para caras fedidos dormindo no chão. Foi a noite de sexta-feira mais esquisita da minha vida. Mas Chris fazia muito aquele tipo de coisa."

No início de seu último ano em Woodson, Chris informou aos pais que não tinha intenção de ir para a universidade. Quando Walt e Billie sugeriram que ele precisava de um diploma universitário para chegar a uma carreira satisfatória, Chris respondeu que carreiras eram "invenções do século XX" degradantes, mais um peso do que uma vantagem, e que ele passaria muito bem sem uma delas, muito obrigado.

"Isso nos deixou muito nervosos", admite Walt. "Billie e eu viemos de famílias operárias. Um diploma superior é algo que levamos muito a sério, e trabalhamos duro para poder pôr nossos filhos em boas escolas. Então Billie sentou com ele e disse: 'Chris, se você quer realmente fazer algo pelo mundo, se quer realmente ajudar as pessoas menos afortunadas, primeiro adquira algum preparo. Vá para a universidade, forme-se em direito e então estará em condições de causar um verdadeiro impacto'."

"As notas dele eram boas", diz Hathaway. "Não tinha problemas, estudava bastante, fazia o que tinha de ser feito. Seus pais não tinham motivo algum para se queixar. Mas começaram a pegar no pé dele sobre a questão da universidade; não sei o que disseram para ele, mas deve ter funcionado, porque acabou indo para Emory, embora achasse que não valia a pena, que era perda de tempo e dinheiro."

Surpreende um pouco que Chris tenha cedido à pressão de Walt e Billie nesse assunto, quando se recusava a ouvi-los em tantas outras coisas. Mas sempre houve muitas contradições na relação entre ele e os pais. Quando visitava Kris Gillmer, falava frequentemente contra Walt e Billie, retratando-os como tiranos exacerbados. Contudo, para seus amigos homens — Hathaway, Cucullu e Andy Horowitz, outro astro do atletismo —, queixava-se pouquíssimo. "Minha impressão era de que seus pais eram pessoas muito legais", diz Hathaway, "não diferentes, realmente, dos meus ou dos de qualquer outro. Acontece que Chris não gostava que lhe dissessem o que fazer. Acho que seria infeliz com quaisquer pais; tinha dificuldade com a ideia toda de *pais*."

A personalidade de McCandless era enigmática em sua complexidade. Era intensamente fechado, mas podia ser simpático e gregário ao extremo. E apesar da consciência social muito desenvolvida não era um militante fechadão e eternamente sombrio que rejeitasse diversão. Ao contrário, gostava de tomar um copo de vez em quando e era um canastrão incorrigível.

O maior paradoxo talvez estivesse em seus sentimentos sobre o dinheiro. Walt e Billie conheceram a pobreza quando jovens e, depois de lutar para superá-la, não viam nada de errado em gozar dos frutos de seu trabalho. "Nós demos muito, muito duro", enfatiza Billie. "Não tínhamos nada quando as crianças eram pequenas, poupamos o que ganhamos e investimos para o futuro." Quando o futuro finalmente chegou, não alardearam sua modesta fortuna, mas compraram roupas boas, algumas joias para Billie, um Cadillac. Por fim, compraram a casa na baía e o barco a vela. Levaram os filhos à Europa, para esquiar em Breckenridge, num cruzeiro pelo Caribe. E Chris, reconhece Billie, "ficava envergonhado com tudo aquilo".

Seu filho, o adolescente tolstoiano, acreditava que a riqueza era vergonhosa, corruptora, essencialmente má — o que é irônico, pois Chris era um capitalista de berço, com uma aptidão excepcional para ganhar dinheiro. "Chris sempre foi um empresário", diz Billie com uma risada. "Sempre."

Quando tinha oito anos, plantava verduras no quintal de Annandale e depois as vendia de porta em porta na vizinhança. "Lá ia aquela gracinha de menino empurrando um carrinho cheio de vagens, tomates e pimentões", diz Carine. "Quem podia resistir? E Chris sabia disso. Tinha escrito na cara: 'Sou lindo de morrer. Quer comprar vagens?'. Quando voltava para casa, o carrinho estava vazio e ele tinha um monte de dinheiro nas mãos."

Quando estava com doze anos, Chris imprimiu uma pilha de folhetos e abriu um negócio de cópias para a vizinhança, Chris Fast

Copies, oferecendo retirada e entrega gratuitas. Utilizando a copiadora do escritório dos pais, pagava-lhes uns poucos centavos por cópia, cobrava dos clientes dois centavos a menos que a copiadora do bairro e tirava um lucro respeitável.

Em 1985, após seu terceiro ano em Woodson, foi contratado por um construtor local para angariar fregueses nos bairros, anunciando reforma de casas e remodelação de cozinhas. Teve um sucesso espantoso, revelou-se um vendedor sem igual. Em poucos meses, meia dúzia de estudantes estava trabalhando sob seu comando e ele tinha 7 mil dólares em sua conta bancária. Parte desse dinheiro, usou para comprar o Datsun amarelo de segunda mão.

Chris tinha uma aptidão tão grande para vendas que na primavera de 1986, quando se aproximava sua formatura no colégio, o dono da empresa de construção telefonou para Walt e ofereceu-se para pagar os estudos universitários de Chris, se Walt o convencesse a ficar em Annandale e a continuar a trabalhar enquanto frequentasse a faculdade, em vez de deixar o emprego e ir para Emory.

"Quando mencionei a oferta para Chris, ele nem levou em consideração. Disse ao patrão que tinha outros planos", conta Walt. Assim que terminasse o colégio, declarou Chris, ia pegar seu carro e passar o verão viajando pelo país. Ninguém previu que aquela jornada seria a primeira de uma série de extensas aventuras transcontinentais. E ninguém de sua família poderia prever que uma descoberta casual nessa primeira viagem acabaria por fazê-lo voltar-se para dentro de si mesmo e para longe, arrastando Chris e aqueles que o amavam para um atoleiro de cólera, mal-entendidos e dor.

12
ANNANDALE

Mais que amor, dinheiro e fama, dai-me a verdade. Sentei-me a uma mesa em que a comida era fina, os vinhos abundantes e o serviço impecável, mas faltavam sinceridade e verdade e fui-me embora do recinto inóspito, sentindo fome. A hospitalidade era fria como os sorvetes.

HENRY DAVID THOREAU
WALDEN, OU A VIDA NOS BOSQUES
TRECHO SUBLINHADO EM UM DOS LIVROS ENCONTRADOS
COM OS RESTOS DE CHRIS MCCANDLESS.
NO ALTO DA PÁGINA, A PALAVRA "VERDADE" ESTÁ GRAFADA À
MÃO, EM GRANDES LETRAS DE FÔRMA, POR MCCANDLESS.

Pois as crianças são inocentes e amam a justiça, enquanto a maioria de nós é corrompida e naturalmente prefere o perdão.

G. K. CHESTERTON

Em 1986, no abafado fim de semana de primavera em que Chris se formou na Woodson High School, Walt e Billie fizeram uma festa para ele. O aniversário de Walt era a 10 de junho, poucos dias adiante, e na festa Chris deu a seu pai um presente: um telescópio Questar muito caro.

"Lembro de estar lá quando ele entregou o telescópio para papai", diz Carine. "Chris tinha tomado alguns drinques naquela noite e estava bem chumbado. Ficou emotivo de verdade. Estava quase chorando, lutando contra as lágrimas, dizendo para papai que, embora tivessem suas diferenças ao longo do tempo, estava agradecido por tudo o que papai fizera por ele. Chris disse como respeitava papai por ter começado do nada, por ter trabalhado para poder estudar e se arrebentado para sustentar oito filhos. Foi um discurso emocionante. Todos ficaram engasgados. E então ele partiu para sua viagem."

Walt e Billie não tentaram evitar a partida de Chris, embora o tenham persuadido a levar o cartão de crédito da Texaco de Walt para emergências e arrancado a promessa de que ele telefonaria para casa a cada três dias. "Ficamos com o coração nas mãos durante todo o tempo em que ele esteve fora, mas não havia como detê-lo", diz Walt.

Depois de sair da Virgínia, Chris foi para o sul e para o oeste, atravessando as planícies do Texas, o calor do Novo México e do Arizona, e chegou à costa do Pacífico. De início cumpriu a promessa de telefonar periodicamente, mas, à medida que o verão avançava, as chamadas tornaram-se cada vez mais esparsas. Só apareceu de volta dois dias antes do início das aulas em Emory. Ao entrar em casa, estava barbudo, de cabelos longos e emaranhados e perdera treze quilos de seu corpo já magro.

"Assim que soube que chegara", diz Carine, "corri para seu quarto para conversar com ele. Estava na cama, dormindo. Estava magro demais. Parecia uma daquelas pinturas de Jesus na cruz. Quando mamãe viu quanto peso ele tinha perdido, ficou completamente arrasada. Começou a cozinhar feito louca para tentar pôr um pouco de carne de volta em seus músculos."

Descobriu-se que perto do final de sua viagem Chris tinha se perdido no deserto de Mojave e quase sucumbira à desidratação. Seus pais ficaram extremamente alarmados ao saber disso, mas sentiam-se inseguros quanto à maneira de persuadir o filho a tomar mais cuidado no futuro. "Chris era bom em quase tudo o que experimentava", reflete Walt, "o que o tornava confiante demais. Se você tentasse convencê-lo a desistir de alguma coisa, ele não discutia. Apenas assentia com polidez e depois fazia exatamente o que queria.

"Assim, de início não falei nada sobre a questão da segurança. Eu jogava tênis com Chris, conversava sobre outras coisas e então finalmente sentei-me com ele para discutir os riscos por que passara. Eu já

tinha aprendido que uma abordagem direta — 'Pelo amor de Deus, é melhor você não tentar uma façanha dessas de novo!' — não funcionava com Chris. Em vez disso, tentei explicar que não fazíamos objeções a suas viagens, apenas queríamos que fosse um pouco mais cuidadoso e que nos mantivesse mais bem informados sobre seu paradeiro."
 Para decepção de Walt, Chris encrespou-se diante dessa pequena dose de conselhos paternos. O único efeito que parece ter causado foi torná-lo ainda menos inclinado a falar de seus planos. Acrescenta Billie: "Chris achou que éramos idiotas porque nos preocupávamos com ele".
 Durante suas viagens, Chris adquirira um machete e um rifle .30--06, que insistiu em levar para a universidade. "Quando chegamos ao dormitório", conta rindo Walt, "pensei que os pais de seu colega de quarto iam ter um infarto ali mesmo. O colega era um menino rico e bem vestido de Connecticut, todo certinho, e Chris chegou com uma barba desgrenhada e roupas puídas, um machete e um rifle de caçar cervos. Mas sabe do que mais? Três meses depois, o almofadinha já tinha caído fora da universidade, enquanto Chris estava entre os melhores."
 Para agradável surpresa de seus pais, com o andamento do ano escolar, Chris parecia estar adorando Emory. Tirou a barba, cortou os cabelos e adotou de novo a imagem alinhada do colégio. Suas notas eram quase perfeitas. Começou a escrever para o jornal da escola. Chegou mesmo a falar com entusiasmo sobre estudar direito depois. "Ei, acho que minhas notas serão suficientemente boas para entrar na Faculdade de Direito de Harvard", gabou-se a certa altura para Walt.
 No verão após o primeiro ano, Chris retornou a Annandale e trabalhou na empresa dos pais, desenvolvendo softwares. "O programa que fez naquele verão para nós era perfeito", diz Walt. "Ainda o usamos hoje e vendemos cópias dele para muitos clientes. Mas quando pedi a Chris para me mostrar como fizera, para explicar como funcionava daquele jeito, ele se recusou. 'Tudo que você precisa saber é que funciona', respondeu. 'Não precisa saber como ou por quê.' Chris estava simplesmente sendo Chris, mas fiquei furioso. Ele teria sido um excelente agente da CIA — é sério; conheço gente que trabalha para a

CIA. Ele nos dizia o que achava que precisávamos saber e nada mais. Era assim com tudo."
Muitos aspectos da personalidade de Chris desconcertavam seus pais. Podia ser generoso e atencioso em demasia, mas tinha um lado mais sombrio também, caracterizado por monomania, impaciência e ensimesmamento, qualidades que parecem ter se intensificado durante sua vida universitária.

"Vi Chris numa festa no final de seu segundo ano em Emory", lembra Eric Hathaway, "e era óbvio que tinha mudado. Parecia mais introvertido, quase frio. Quando eu disse 'Oi, que bom ver você, Chris', sua resposta foi cínica: 'Sim, claro, é o que todo mundo diz'. Foi difícil fazê-lo falar. Só estava interessado em falar de seus estudos. A vida social em Emory acontecia em volta das fraternidades e irmandades femininas, algo em que Chris não queria tomar parte. Acho que quando todo mundo começou a entrar para essas associações ele meio que se afastou de seus velhos amigos e entrou mais fundo nele mesmo."

No verão entre o segundo e terceiro ano, Chris voltou novamente a Annandale e pegou um emprego de entregador de pizza da Domino's. "Ele não se importava que não fosse uma coisa legal de fazer", diz Carine. "Ganhou um monte de dinheiro. Lembro que chegava em casa todas as noites e fazia a contabilidade na mesa da cozinha. Não importava quão cansado estivesse; calculava quantos quilômetros tinha rodado, quanto a Domino's tinha pagado de gasolina, quanto custara realmente o combustível, seu lucro líquido da noite, como se comparava com a mesma noite da semana anterior. Controlava tudo e me mostrou como fazer isso, como fazer um negócio funcionar. Não parecia interessado tanto no dinheiro quanto no fato de que era bom em ganhá-lo. Era como se fosse um jogo e o dinheiro, uma maneira de marcar pontos."

As relações de Chris com os pais, que tinham sido excepcionalmente corteses desde sua formatura no colégio, deteriorara-se bastante naquele verão, e Walt e Billie não tinham ideia do motivo. Segundo Billie, "ele parecia furioso conosco com mais frequência e se tornou mais retraído — não, essa não é a palavra certa. Chris nunca foi *retraído*. Mas não nos contava o que tinha na cabeça e passava mais tempo sozinho".

O que ocorreu foi que a raiva latente de Chris fora estimulada por uma descoberta que fizera dois verões antes, durante suas andanças pelo país. Ao chegar à Califórnia, visitara o bairro de El Segundo, onde passara os seis primeiros anos de sua vida. Telefonou para antigos amigos da família que ainda moravam lá e, pelas respostas que deram a suas indagações, juntou as peças do casamento anterior com o divórcio subsequente de seu pai — fatos de que não fora informado. A separação entre Walt e Marcia, sua primeira mulher, não fora limpa nem amigável. Havia muito que se apaixonara por Billie, havia muito que Chris nascera, e Walt continuava sua relação com Marcia em segredo, dividindo seu tempo entre dois lares, duas famílias. Mentiras foram contadas e depois reveladas, gerando mais mentiras para explicar as imposturas iniciais. Dois anos depois do nascimento de Chris, Walt teve outro filho — Quinn McCandless — com Marcia. Quando a vida dupla de Walt veio à luz, as revelações causaram ferimentos profundos. Todos os envolvidos sofreram terrivelmente.

Por fim, Walt, Billie, Chris e Carine mudaram-se para a costa leste. O divórcio de Marcia finalmente se consumou, permitindo que Walt e Billie legalizassem seu casamento. Todos trataram de deixar a confusão para trás o melhor que podiam e ir em frente na vida. Passaram-se duas décadas. Aumentou a sabedoria. A culpa, os ferimentos, a fúria do ciúme ficaram no passado distante; parecia que a tempestade tinha se desfeito. E então, em 1986, Chris foi a El Segundo, deu um giro na antiga vizinhança e ficou sabendo do episódio em todos os seus detalhes dolorosos.

"Chris era o tipo de pessoa que remói as coisas", observa Carine. "Se alguma coisa o incomodava, não punha para fora. Ficava fechado, alimentando seu ressentimento, deixando os sentimentos ruins crescer e crescer." Parece que foi isso que aconteceu depois das descobertas em El Segundo.

Os filhos podem ser juízes implacáveis quando se trata de seus pais, e pouco inclinados a conceder clemência. Isso foi especialmente verdadeiro no caso de Chris. Mais ainda do que a maioria dos adolescentes, tendia a ver as coisas em preto e branco. Media-se e aos outros em torno dele por um código moral absurdamente rigoroso.

É curioso que não aplicava a todos os mesmos padrões exigentes. Um dos indivíduos que declarava admirar muito nos últimos dois anos de sua vida era um beberrão e namorador incorrigível que batia frequentemente nas namoradas. Chris conhecia muito bem as falhas desse homem, mas conseguia perdoá-lo. Era capaz também de perdoar, ou ignorar, os defeitos de seus heróis literários: Jack London era um bêbado contumaz; Tolstoi, apesar de sua famosa defesa do celibato, fora um entusiasmado aventureiro sexual quando jovem e teve pelo menos treze filhos, alguns dos quais concebidos na mesma época em que o censório conde trovejava em letras impressas contra os males do sexo.

Como muita gente, Chris julgava os artistas e amigos próximos pelo trabalho deles, não pela vida que levavam, mas era incapaz de estender essa tolerância a seu pai. Sempre que Walt McCandless, com seu modo rígido, fazia uma advertência a Chris, Carine, ou seus meios-irmãos, Chris se fixava no comportamento do pai muitos anos antes e o denunciava em silêncio como um santarrão hipócrita. Chris marcava os pontos cuidadosamente. E ao longo do tempo transformou-se num pote de indignação virtuosa que era impossível manter fechado.

Depois que desenterrou os detalhes do divórcio de Walt, passaram-se dois anos até sua raiva começar a vazar. O menino não conseguia perdoar os erros que o pai cometera quando jovem e estava ainda menos disposto a perdoar a tentativa de esconder os fatos. Mais tarde, declarou a Carine e a outros que a impostura cometida por Walt e Billie fazia "toda sua infância parecer uma ficção". Mas não confrontou os pais com o que sabia, nem na época nem depois. Em vez disso, preferiu fazer segredo de seu conhecimento e expressar sua raiva de modo indireto, em silêncio e retraimento taciturno.

Em 1988, ao mesmo tempo em que aprofundava seu ressentimento em relação aos pais, crescia seu sentimento de revolta diante das injustiças do mundo. Naquele verão, relembra Billie, "Chris começou a se queixar de todos os garotos ricos de Emory". Frequentava cada vez mais cursos sobre questões sociais prementes como o racismo, a fome no mundo e as desigualdades na distribuição de renda. Mas, apesar de sua aversão ao dinheiro e ao consumo ostentatório, as inclinações políticas de Chris não podiam ser descritas como progressistas.

Com efeito, deliciava-se em ridicularizar as políticas do Partido Democrata e era um admirador de Ronald Reagan. Em Emory, chegou a ser cofundador de um Clube Republicano. Suas posições políticas aparentemente estranhas talvez tenham sido resumidas da melhor forma na declaração de Thoreau no começo de "A desobediência civil": "De todo o coração aceito o lema: *O melhor governo é o que governa menos*". Além disso, suas concepções não podem ser caracterizadas com facilidade.

Como editor assistente da página editorial do *The Emory Wheel*, escreveu muitos comentários. Lendo-os uma década depois, vemos o quanto McCandless era pueril e apaixonado. As opiniões que expressava em letra de fôrma, defendidas com lógica idiossincrática, vinham de todos os quadrantes. Satirizou Jimmy Carter e Joe Biden, pediu a renúncia do secretário de Justiça Edwin Meese, desancou os crentes da direita cristã, exigiu vigilância contra a ameaça soviética, criticou severamente os japoneses por pescar baleias e defendeu Jesse Jackson como candidato viável à Presidência. Numa declaração tipicamente imoderada, diz a frase inicial do editorial de McCandless de 1º de março de 1988: "Entramos agora no terceiro mês do ano de 1988 e ele já vai se tornando um dos anos mais politicamente corruptos e escandalosos da história moderna...". Chris Morris, o editor do jornal, lembra que McCandless era "veemente".

Para seu minguado número de confrades, McCandless parecia ficar mais veemente a cada mês que passava. Na primavera de 1989, assim que terminaram as aulas, ele pegou seu Datsun e saiu em outra viagem repentina e prolongada. "Recebemos apenas dois cartões durante o verão inteiro", diz Walt. "O primeiro dizia 'Indo para a Guatemala'. Quando li isso, pensei: 'Oh, meu Deus, ele está indo para lutar com os insurretos. Vão encostá-lo na parede e fuzilá-lo'. Depois, perto do final do verão, chegou o segundo postal. Tudo o que dizia era: 'Partindo de Fairbanks amanhã, vejo vocês dentro de umas duas semanas'. Aconteceu que ele mudou de ideia e em vez de ir para o Sul, foi para o Alasca."

A triturante e poeirenta subida da rodovia do Alasca foi a primeira visita de Chris ao Norte longínquo. Foi uma viagem abreviada — passou pouco tempo em torno de Fairbanks, depois voltou depressa para o Sul, a fim de chegar a tempo para o início das aulas no outono —, mas ficara encantado com a vastidão da região, o matiz fantasmagórico das geleiras, o céu subártico translúcido. Nunca houve dúvidas de que retornaria.

Durante seu último ano em Emory, Chris morou fora do campus, em um quarto nu e espartano, com engradados de leite e um colchão no chão. Poucos de seus amigos o encontravam fora das aulas. Um professor deu-lhe uma chave para ter acesso fora do horário de expediente à biblioteca, onde passava boa parte de seu tempo livre. Andy Horowitz, seu amigo íntimo de colégio e companheiro de *cross-country*, topou com Chris entre as estantes numa manhã, pouco antes da formatura. Embora fossem colegas de turma em Emory, fazia dois anos que não se viam. Conversaram desajeitadamente por alguns minutos e depois McCandless desapareceu num canto de estudo.

Chris raramente deu notícias para os pais naquele ano e, como não tinha telefone, era difícil contatá-lo. Walt e Billie inquietavam-se cada vez mais com a distância emocional do filho. Por carta, Billie implorou: "Você se afastou completamente de todos os que o amam e se preocupam com você. O que quer que seja — com quem quer que esteja —, você acha que isso está certo?". Chris considerou isso uma intromissão e disse para Carine que a carta era "estúpida".

"O que ela quer dizer com 'quem quer que esteja'?", reclamou Chris para a irmã. "Ela deve estar totalmente louca. Sabe o que eu acho? Aposto que eles pensam que sou homossexual. De onde eles tiraram essa ideia? Que bando de imbecis."

Na primavera de 1990, quando Walt, Billie e Carine foram à colação de grau de Chris, acharam que ele parecia feliz. Ao subir ao palco para receber o diploma, estava sorrindo de orelha a orelha. Dissera que estava planejando outra viagem longa, mas deixara implícito que visitaria a família em Annandale antes de cair na estrada. Pouco depois, doou o saldo de sua conta bancária para a Oxfam, carregou o carro e desapareceu da vida deles. A partir de então, evitou escrupulosamente o contato com seus pais e Carine, a irmã de quem parecia gostar tanto.

"Ficamos todos preocupados, sem notícias dele", diz Carine, "e acho que a preocupação de meus pais se misturava com mágoa e raiva. Mas eu não me sentia magoada por ele não escrever. Sabia que estava feliz e fazendo o que queria fazer; entendi que era importante para ele ver quão independente podia ser. E ele sabia que se escrevesse ou telefonasse para mim, papai e mamãe descobririam onde estava e iriam voando tentar trazê-lo para casa."

Walt não nega isso: "Não tenho dúvida. Se tivesse alguma ideia de onde procurar, teria ido para lá no mesmo instante, localizado seu paradeiro e trazido nosso menino para casa".

À medida que os meses se passavam — e depois os anos — sem notícias de Chris, a angústia crescia. Billie nunca saía de casa sem deixar um bilhete para ele na porta. "Sempre que estávamos dirigindo e víamos um caroneiro, se tivesse alguma semelhança com Chris, dávamos a volta para ver de novo. Foi uma época terrível. À noite era pior, especialmente quando estava frio e chovia. A gente pensava: onde está ele? Está aquecido? Está ferido? Está sozinho? Está bem?"

Em julho de 1992, dois anos depois que Chris deixou Atlanta, Billie estava dormindo em Chesapeake Beach quando se ergueu de repente no meio da noite, acordando Walt. "Tinha certeza de que ouvira Chris me chamando", insiste ela com as lágrimas escorrendo pelo rosto. "Não sei como vou superar isso. Não estava sonhando. Não imaginei aquilo. Ouvi sua voz! Ele implorava: 'Mamãe, me ajude!'. Mas eu não podia fazer nada porque não sabia onde ele estava. E isso foi tudo o que ele disse: 'Mamãe, me ajude!'."

13

VIRGINIA BEACH

O domínio físico do campo tinha seu equivalente em mim. As trilhas que eu fazia conduziam para fora, aos morros e pântanos, mas levavam para dentro de mim também. E do estudo das coisas no caminho, e de ler e pensar, veio uma espécie de exploração, eu e a terra. Com o tempo, ambos se tornaram um em minha mente. Com a força de acumulação de uma coisa essencial se realizando a partir do chão primevo, encarei em mim mesmo um anseio apaixonado e tenaz — abandonar para sempre o pensamento e todas as complicações que traz consigo, tudo menos o desejo mais próximo, direto e penetrante. Tomar a trilha e não olhar para trás. A pé, com raquetes de neve ou de trenó, nos morros de verão e suas sombras tardias enregelantes — uma marca alta nas árvores, um rastro na neve mostraria para onde fui. Que o resto da humanidade me encontre, se puder.

JOHN HAINES
AS ESTRELAS, A NEVE, O FOGO: 25 ANOS NAS REGIÕES
SELVAGENS DO NORTE

Duas fotografias emolduradas ocupam o console da lareira na casa de Carine McCandless em Virginia Beach: uma de Chris no primeiro ano do colégio, outra de Chris aos sete anos, com um terno diminuto e gravata torta, de pé ao lado de Carine, que está com um vestido cheio de babados e um chapéu novo de Páscoa. "O que é espantoso", diz Carine enquanto estuda essas imagens de seu irmão, "é que, embora as fotos tenham sido tiradas com uma diferença de dez anos, sua expressão é idêntica."

Ela tem razão: em ambas as fotos, Chris olha para a lente com o mesmo olhar semicerrado, pensativo, recalcitrante, como se o tivessem interrompido no meio de um pensamento importante e ficasse aborrecido por perder seu tempo diante da câmera. Sua expressão é mais notável na foto da Páscoa porque contrasta com o sorriso exuberante de Carine. "Esse é Chris", diz ela com um sorriso afetuoso, passando a ponta dos dedos na superfície da imagem. "Ele ficava muito com essa cara."

Deitado aos pés de Carine está Buckley, o shetland de que Chris gostava tanto. Agora com treze anos, tem o focinho branco e anda mancando por causa da artrite. Porém, se Max, o rottweiler de dezoito meses de Carine, invade o terreno de Buckley, o pequeno cão enfermo não vacila em enfrentar o animal muito maior com um latido alto e uma rajada de mordidas bem dadas que põem a besta de sessenta quilos em fuga.

"Chris era louco por Buck", diz Carine. "Naquele verão em que desapareceu, queria levar o cachorro com ele. Depois da formatura, perguntou a papai e mamãe se podia pegá-lo e eles disseram que não porque Buck acabara de ser atropelado por um carro e estava se recuperando. Agora, é claro, eles colocam em dúvida a decisão, embora Buck estivesse realmente muito machucado; o veterinário disse que ele nunca mais ia andar depois do acidente. Meus pais não podem evitar de pensar — e eu também, devo admitir — que as coisas poderiam ter sido diferentes se Chris tivesse levado Buck. Ele não pensava duas vezes antes de pôr sua vida em risco, mas jamais exporia Buckley a algum tipo de perigo. Com certeza, não teria se arriscado da mesma forma se Buck estivesse com ele."

Com cerca de um metro e setenta, Carine é da mesma altura de Chris, talvez um pouquinho mais alta, e se parece tanto com ele que as pessoas perguntavam com frequência se eram gêmeos. Conversadora animada, afasta os cabelos, longos até a cintura, do rosto com um movimento da cabeça enquanto enfatiza a fala com gestos de suas mãos pequenas e expressivas. Está descalça. Um crucifixo de ouro pende de seu pescoço. Seus jeans bem passados têm vincos na frente.

137

Como Chris, Carine é enérgica e segura de si, empreendedora, pronta para dar uma opinião. Também como Chris, entrou em conflito feroz com Walt e Billie quando adolescente. Mas as diferenças entre os irmãos eram maiores que suas semelhanças.

Carine fez as pazes com os pais pouco depois do desaparecimento de Chris e agora, aos 22 anos, diz que a relação entre eles é "extremamente boa". Ela é muito mais gregária que Chris e não consegue se imaginar indo para o mato — ou praticamente para qualquer lugar — sozinha. E, embora compartilhe o sentimento de revolta de Chris em relação à injustiça racial, não faz objeções — morais ou outras — à riqueza. Comprou recentemente uma casa nova e cara e labuta regularmente catorze horas por dia na C. A. R., Incorporated, o negócio de conserto de carros que tem com o marido, Chris Fish, na esperança de fazer logo o primeiro milhão.

"Eu reclamava sempre de papai e mamãe porque trabalhavam o tempo todo e nunca estavam por perto", diz ela, rindo de si mesma, " e agora olhe para mim: estou fazendo a mesma coisa." Chris, confessa ela, costumava rir de seu ardor capitalista, chamando-a de duquesa de York, Ivana Trump McCandless e "sucessora em ascensão de Leona Helmsley". Mas suas críticas à irmã nunca passaram de gozações afetuosas; Chris e Carine eram excepcionalmente ligados. Numa carta em que descreve suas desavenças com os pais, Chris escreveu certa vez: "De qualquer forma, gosto de lhe falar disso porque você é a *única* pessoa no mundo que poderia entender o que estou dizendo".

Dez meses depois da morte de Chris, Carine ainda sofre profundamente por seu irmão. "Parece que não posso passar um dia sem chorar", diz ela, com uma expressão de perplexidade. "Por algum motivo, é pior quando estou sozinha no carro. Nunca consigo fazer o trajeto de vinte minutos de casa até a oficina sem pensar em Chris e desabar. Eu me recupero, mas quando acontece é duro."

No final da tarde de 17 de setembro de 1992, Carine estava do lado de fora da casa dando banho no rottweiler quando Chris Fish chegou. Ela ficou surpresa de vê-lo tão cedo: em geral, ficava trabalhando até tarde da noite na oficina.

"Estava se comportando de um jeito engraçado", lembra Carine. "Havia uma expressão terrível em seu rosto. Ele entrou, saiu de volta e começou a me ajudar a dar banho em Max. Eu soube então que algo estava errado, porque Fish nunca lava o cachorro."

"Preciso falar com você", disse ele. Carine seguiu-o para dentro de casa, enxaguou a coleira de Max na pia da cozinha e foi para a sala. "Fish estava sentado no sofá, no escuro, com a cabeça baixa. Parecia completamente arrasado. Tentando brincar para tirá-lo daquele desânimo, eu disse: 'O que há com você?'. Imaginei que seus colegas tinham zombado dele no trabalho, talvez dizendo que tinham me visto com outro cara, ou algo assim. Ri e perguntei: 'A turma andou pegando no seu pé?'. Mas ele não riu. Quando olhou para mim, vi que seus olhos estavam vermelhos."

"É seu irmão", disse Fish. "Encontraram Chris. Ele está morto."

Sam, o filho mais velho de Walt, telefonara para Fish no trabalho e lhe dera a notícia.

Os olhos de Carine se anuviaram e ela sentiu que perdia a visão lateral. Involuntariamente, começou a sacudir a cabeça para a frente e para trás. "Não, Chris não está morto", corrigiu ela. Então, começou a gritar. Seu lamento era tão alto e contínuo que Fish achou que os vizinhos iam pensar que ele estava batendo nela e chamariam a polícia.

Carine enrodilhou-se no sofá na posição fetal, chorando sem parar. Quando Fish tentava confortá-la, gritava para que a deixasse sozinha. Ficou histérica durante cinco horas, mas por volta das onze horas acalmou-se o suficiente para enfiar algumas roupas numa sacola, entrar no carro com Fish e deixar que ele a levasse para a casa de Walt e Billie em Chesapeake Beach, uma viagem de quatro horas para o norte.

Na saída de Virginia Beach, Carine pediu que Fish parasse na igreja. "Entrei e sentei junto ao altar durante uma hora mais ou menos, enquanto Fish ficava no carro. Queria uma resposta de Deus. Mas não obtive nenhuma."

Naquela tarde, Sam confirmara que a fotografia do andarilho desconhecido enviada por fax do Alasca era mesmo de Chris, mas o legista de Fairbanks exigiu os registros dentários do rapaz para fazer uma identificação conclusiva. Foi preciso mais de um dia para comparar as radiografias e Billie se recusou a olhar para o fax até que a identidade dental estivesse completa e não houvesse mais dúvidas de que o menino encontrado no ônibus ao lado do rio Sushana era seu filho.

No dia seguinte, Carine e Sam voaram para Fairbanks a fim de trazer os restos de Chris para casa. No escritório do legista receberam o punhado de pertences recuperados com o corpo: o rifle de Chris, um par de binóculos, a vara de pescar que Ronald Franz lhe dera, um dos canivetes suíços que ganhara de Jan Burres, o livro sobre plantas em que seu diário estava escrito, uma câmera Minolta e cinco rolos de filme — não muito mais. O legista apresentou-lhes alguns papéis; Sam assinou-os e devolveu-os.

Menos de 24 horas depois de descer em Fairbanks, Carine e Sam voaram para Anchorage, onde o corpo de Chris fora cremado após a autópsia no Laboratório Científico de Detecção de Crimes. A morgue entregou as cinzas de Chris no hotel, dentro de uma caixa de plástico. "Fiquei surpresa com o tamanho grande da caixa", diz Carine. "O nome dele estava impresso errado. O rótulo dizia CHRISTOPHER R. MCCANDLESS. Sua inicial do meio é na verdade J. Fiquei uma vara porque eles não escreveram certo. Depois pensei: 'Chris não se importaria. Ia achar engraçado'."

Pegaram um avião para Maryland na manhã seguinte. Carine levava as cinzas do irmão em sua mochila.

Durante o voo, Carine comeu, até a última migalha, tudo o que as aeromoças colocaram na frente dela, "embora fosse aquela coisa horrível que eles servem nos aviões. Eu simplesmente não podia suportar a ideia de jogar comida fora desde que Chris morrera de inanição". Porém, nas semanas seguintes, descobriu que seu apetite sumira e perdeu quatro quilos e meio, levando seus amigos a temer que estivesse ficando anoréxica.

Em Chesapeake Beach, Billie também parara de comer. Mulher pequenina de 48 anos, com feições de menina, ela perdeu três quilos e meio até que seu apetite finalmente retornasse. Walt reagiu de forma oposta, comendo compulsivamente, e engordou quatro quilos e meio.

Um mês mais tarde, Billie está sentada à mesa da sala de jantar, passando os olhos pelo registro fotográfico dos últimos dias de Chris. Tudo o que pode fazer é forçar-se a examinar as fotos desfocadas. Enquanto estuda os retratos, desespera-se de tempos em tempos, chorando como só uma mãe que sobreviveu a seu filho pode chorar, traindo um sentimento de perda tão imenso e irreparável que a mente se recusa a medir. Vista de perto, uma tal consternação esvazia e desautoriza a mais eloquente das defesas das atividades de alto risco.

"Eu só não entendo por que ele tinha de correr aquele tipo de risco", Billie protesta entre lágrimas. "Simplesmente não entendo."

14
A GELEIRA STIKINE

Cresci exuberante de corpo, mas com uma mente nervosa, ansiosa. Ela queria algo mais, algo tangível. Ela buscava a realidade intensamente, sempre como se ela não estivesse aqui. [...] Mas você vê logo o que faço. Eu escalo.

JOHN MENLOVE EDWARDS
"CARTA DE UM HOMEM"

Não consigo dizer exatamente, foi há muito tempo, em que circunstâncias escalei pela primeira vez, apenas que tremia enquanto avançava (tenho uma lembrança indistinta de ter passado a noite fora sozinho) — e então escalei com constância por uma crista rochosa meio sombreada por árvores esparsas, onde rondavam animais selvagens, até que me perdi bem acima, no ar e nas nuvens, parecendo ter ultrapassado uma linha imaginária que separasse um morro, mera terra empilhada, de uma montanha, em sobreterrena grandiosidade e sublimidade. O que distingue aquele pico acima da linha terrestre é que é indomado, majestoso, magnífico. Jamais pode se tornar familiar; estás perdido no momento em que pões os pés ali. Conheces o caminho, mas vagueias, emocionado, pela rocha nua e sem trilhas, como se fosse ar e nuvens solidificadas. Aquele pico rochoso, enevoado, oculto nas nuvens, era muito mais arrebatadoramente majestoso e sublime que a cratera de um vulcão cuspindo fogo.

HENRY DAVID THOREAU
DIÁRIO

No último postal que mandou para Wayne Westerberg, McCandless escrevera: "Se esta aventura se revelar fatal e nunca mais tiver notícias de mim, quero que saiba que você é um grande homem. Caminho agora para dentro da natureza selvagem". Quando a aventura de fato se revelou fatal, essa declaração melodramática alimentou intensa especulação de que o garoto estava inclinado ao suicídio desde o início, de que quando entrou no mato não tinha nenhuma intenção de voltar. Mas não estou tão certo disso.

Minha suspeita de que a morte de McCandless não foi planejada, que se tratou de um terrível acidente, se origina da leitura dos poucos documentos que deixou e de conversas com as pessoas que estiveram com ele no último ano de sua vida. Mas minha percepção das intenções de McCandless vem também de uma perspectiva mais pessoal.

Na minha juventude, dizem-me, eu era teimoso, ocupado comigo mesmo, às vezes irresponsável, sorumbático. Desapontei meu pai das maneiras usuais. Como McCandless, as figuras de autoridade masculina provocavam em mim uma mistura confusa de fúria e vontade de agradar. Se alguma coisa capturava minha indisciplinada imaginação, eu a perseguia com ardor beirando a obsessão, e dos dezessete anos até perto dos trinta essa mania foi escalar montanhas.

Eu devotava a maior parte de meu tempo acordado a fantasiar sobre — e depois realizar — escaladas de montanhas remotas no Alasca e no Canadá, picos obscuros, escarpados e assustadores de que ninguém no mundo ouvira falar, exceto eu e um punhado de alpinistas fanáticos. Algum bem veio de fato disso. Ao fixar meu olhar em um cume após o outro, consegui manter a direção em meio ao espesso nevoeiro pós-adolescente. Escalar *era importante*. O perigo banhava o mundo num brilho halógeno que fazia tudo — o perfil da rocha, o amarelo e laranja dos líquenes, a textura das nuvens — se destacar em relevo brilhante. A vida zunia num tom mais alto. O mundo tornava-se real.

Em 1977, enquanto ruminava num banco de bar do Colorado, arrancando cascas de minhas feridas existenciais, enfiei na cabeça que iria escalar uma montanha chamada Polegar do Diabo. Uma intrusão de diorito esculpida por glaciares antigos para formar um pico de proporções imensas e espetaculares, o Polegar é especialmente imponente se visto do norte: sua grande parede setentrional, que jamais fora escalada, ergue-se absoluta e limpa por 1800 metros a partir da geleira em sua base, o dobro da altura do El Capitan, no Parque Nacional de Yosemite. Eu iria para o Alasca, esquiaria cinquenta quilômetros pelo gelo glacial e escalaria esse poderoso *nordwand*. Além disso, decidi que faria tudo sozinho.

Eu tinha 23 anos, um ano a menos que Chris McCandless quando se internou no Alasca. Meu raciocínio — se é que se pode chamar assim — foi inflamado por diversas paixões da juventude e uma dieta literária rica em obras de Nietzsche, Kerouac e John Menlove Edwards, este último um escritor e psiquiatra profundamente perturbado que, antes de se matar com uma cápsula de cianureto em 1958, fora um dos proeminentes alpinistas britânicos da época. Edwards considerava escalar uma "tendência psiconeurótica"; escalava não por esporte, mas para fugir do tormento interior que conformava sua existência.

Ao mesmo tempo que formulava meu plano de escalar o Polegar, tinha uma vaga consciência de que poderia estar exagerando. Mas isso só aumentava a tentação. A dificuldade era exatamente o essencial.

Eu tinha um livro no qual havia uma fotografia do Polegar do Diabo, uma imagem em preto e branco tirada por um eminente glaciólogo chamado Maynard Miller. Na foto aérea, a montanha tinha uma aparência particularmente sinistra: uma enorme barbatana de pedra esfoliada, negra e manchada de neve. A fotografia apresentava um fascínio quase pornográfico para mim. Como seria estar equilibrado naquela crista de cume que parecia uma navalha, preocupando-me com as nuvens de tempestade formando-se à distância, curvando-me para me proteger do vento e do frio, contemplando o declive de ambos os lados? Poderia alguém conter seu terror tempo suficiente para chegar ao topo e descer de volta?

E se eu de fato conseguisse... Tinha medo de imaginar o triunfante dia seguinte, para não dar azar. Mas nunca tive dúvidas de que escalar o Polegar do Diabo transformaria minha vida. Como poderia ser diferente?

Eu trabalhava então como carpinteiro itinerante, colocando vigas nos condomínios em Boulder a 3,50 dólares a hora. Certo fim de tarde, depois de nove horas carregando estacas e batendo pregos, disse a meu patrão que estava largando o emprego: "Não, não daqui a duas semanas, Steve; agora mesmo, é nisso que eu estava pensando". Precisei de algumas horas para tirar minhas ferramentas e outros pertences do imundo trailer que eu vinha ocupando. Depois, entrei no meu carro e parti para o Alasca. Surpreendi-me, como sempre, com a facilidade do ato de partir e com o quanto era bom. O mundo estava, de repente, rico de possibilidades.

O Polegar do Diabo demarca a fronteira entre o Alasca e a Colúmbia Britânica a leste de Petersburg, uma aldeia de pescadores acessível somente por barco ou avião. Havia uma linha regular de jato para Petersburg, mas a soma de meu ativo líquido compunha-se de um Pontiac Star Chief 1960 e duzentos dólares em dinheiro, o que não dava nem para uma passagem de ida. Assim, dirigi até Gig Harbor, no estado de Washington, abandonei o carro e descolei uma carona num pesqueiro de salmão.

O *Ocean Queen* era um barco de trabalho robusto feito de tábuas grossas de cedro amarelo do Alasca, equipado para longo curso e pesca de rede. Em troca da carona para o norte eu tinha apenas de ficar periodicamente no leme — turnos de quatro horas a cada doze — e ajudar a amarrar infindáveis linhas de base para a pesca de linguado gigante. A lenta jornada pela Passagem Interior desenrolou-se num diáfano devaneio de expectativa. Eu estava a caminho, impulsionado por um imperativo que ia além da minha capacidade de controlar ou compreender.

A luz do sol coruscava na água enquanto avançávamos ruidosamente pelo estreito de Geórgia. Taludes erguiam-se íngremes da orla da água, sombreados por cicutas, cedros e *devil's club* [*Oplopanax horridus*]. Gaivotas sobrevoavam no alto. Ao largo da ilha de Malcolm, o barco atravessou um cardume de sete orcas. Suas barbatanas dorsais, algumas da altura de um homem, cortavam a superfície cristalina à distância de uma cuspida do convés.

Na segunda noite de viagem, duas horas antes do amanhecer, eu estava no leme quando a cabeça de uma corça se materializou sob a luz do holofote. O animal estava no meio do estreito de Fitz Hugh, nadando nas águas frias e escuras a quase dois quilômetros do litoral canadense. Suas retinas brilhavam vermelhas à luz ofuscante; ela parecia exausta e louca de medo. Virei o leme para estibordo, o barco passou e a corça balançou duas vezes na nossa esteira antes de desaparecer na escuridão.

A maior parte da Passagem Interior segue canais estreitos como fiordes. Mas ao passarmos pela ilha Dundas a vista ampliou-se subitamente. A oeste, tínhamos agora mar aberto, a plena amplidão do Pacífico, e o barco balançava de proa a popa sobre vagas de quase quatro metros. As ondas quebravam sobre a amurada. Na distância, a estibordo da proa, apareceu uma miscelânea de picos escarpados e meu pulso acelerou ao vê-los. Aquelas montanhas anunciavam a aproximação de meu *desideratum*. Tínhamos chegado ao Alasca.

Cinco dias depois de partir de Gig Harbor, o *Ocean Queen* atracou em Petersburg para abastecer-se de combustível e água. Saltei a amurada, pus sobre os ombros minha pesada mochila e caminhei pelo cais sob a chuva. Sem saber o que fazer em seguida, abriguei-me sob o beiral da biblioteca da cidade e sentei-me sobre a mochila.

Petersburg é uma cidade pequena e afetada para os padrões alasquianos. Uma mulher alta e desconjuntada passou por mim e começou a conversar. Seu nome era Kai, disse ela, Kai Sandburn. Era alegre, expansiva, fácil de conversar. Confessei meus planos de escalada e para meu alívio ela não riu nem se comportou como se eles fossem particularmente esquisitos. "Quando o tempo está claro", informou simplesmente, "pode-se ver o Polegar da cidade. É bonito. Fica para lá, do outro lado do estreito de Frederick." Segui a direção de seu braço estendido, que apontava para uma parede baixa de nuvens a leste.

Kai convidou-me para jantar em sua casa. Mais tarde, abri meu saco de dormir no chão. Muito depois de ela ter dormido, eu ainda estava acordado na sala ao lado, ouvindo sua respiração tranquila. Convencera a mim mesmo durante meses de que não me importava com a ausência de intimidade em minha vida, com a falta de uma conexão humana de verdade, mas o prazer que sentia na companhia daquela mulher — o som de sua risada, o toque inocente da mão em meu braço — expunha meu autoengano e deixava-me vazio e dolorido.

Petersburg fica numa ilha; o Polegar do Diabo está no continente, erguendo-se de um lugar gelado e escalvado chamado de geleira Stikine. Vasta e labiríntica, ela cobre a espinha da cadeia da Fronteira como uma carapaça, da qual as longas línguas azuis de numerosos glaciares descem para o mar sob o peso dos tempos. Para chegar ao sopé da montanha, eu tinha de conseguir uma carona para atravessar 38 quilômetros de água salgada e depois subir esquiando 48 quilômetros por um desses glaciares, o Baird, um vale de gelo que não via pegadas humanas, tinha certeza, havia muitos e muitos anos.

Peguei carona com três silvicultores até a ponta da baía Thomas, onde fiquei numa praia de cascalho. O amplo término do glaciar, salpicado de pedregulhos, estava visível a um quilômetro e meio de distância. Meia hora depois, escalei sua extremidade congelada e comecei a longa e penosa caminhada para o Polegar. O gelo estava sem neve e incrustado de areia preta e grossa que esmigalhava ruidosamente sob as pontas de aço de meus grampões.

Depois de cinco ou seis quilômetros, cheguei à linha de neve e troquei os grampões por esquis. Colocar as pranchas nos meus pés diminuiu em sete quilos o peso nas minhas costas e tornou a marcha mais rápida. Mas a neve escondia muitas das gretas do glaciar, aumentando o perigo.

Em Seattle, prevendo esse problema, eu comprara um par de varetas de cortina de alumínio resistentes de três metros de comprimento. Amarrei as varetas em cruz e depois prendi o dispositivo na correia de cintura de minha mochila, de tal forma que as varetas se estendiam horizontalmente sobre a neve. Arrastando-me geleira acima com minha enorme mochila e aquela ridícula cruz de metal, sentia-me como um penitente esquisito. Se a camada superficial de neve se rompesse sob meus pés, eu esperava de todo o coração que as varetas de cortina ficassem atravessadas sobre o buraco e impedissem que eu caísse nas profundezas congeladas do Baird.

Durante dois dias, subi pesadamente o vale de gelo. O tempo estava bom, a rota era óbvia e sem maiores obstáculos. Porém, como eu estava sozinho, até as coisas banais pareciam carregadas de sentido. O gelo parecia mais frio e misterioso, o céu, de um matiz mais limpo de azul. Os picos sem nome que se erguiam acima do glaciar eram maiores, mais graciosos e infinitamente mais ameaçadores do que se eu estivesse na companhia de outra pessoa. E minhas emoções eram igualmente amplificadas: as exaltações eram maiores, os períodos de desespero mais profundos e negros. Para um jovem senhor de si e inebriado com o drama em desdobramento de sua vida, tudo isso exercia um encanto imenso.

Três dias depois de partir de Petersburg, cheguei à geleira Stikine propriamente dita, onde o longo braço do Baird se une à massa principal de gelo. Ali, a geleira transborda abruptamente pela borda de um platô alto, caindo na direção do mar por uma brecha entre duas montanhas, numa fantasmagoria de gelo estilhaçado. Ao ver aquele tumulto a longa distância, senti realmente medo, pela primeira vez, desde que deixara o Colorado.

A cascata de gelo estava entrecruzada de gretas e *seracs* instáveis. De longe, lembrava um desastre grave de trem, como se muitos vagões brancos fantasmagóricos tivessem descarrilado na borda da geleira e tombado pelo declive. Quanto mais perto eu chegava, mais desagradável era seu aspecto. Minhas varetas de três metros pareciam uma defesa inútil contra fissuras de doze metros de largura e centenas de metros de profundidade. Antes que eu pudesse planejar uma rota lógica pela cascata de gelo, o vento aumentou e começou a nevar forte, fustigando meu rosto e reduzindo a visibilidade a quase nada.

Durante boa parte do dia, tateei às cegas pelo labirinto branco, voltando sobre meus passos, de um beco sem saída a outro. Várias vezes achei que tinha encontrado uma saída, somente para acabar num *cul--de-sac* azul profundo ou encalhado numa coluna de gelo isolada. Meus esforços ganhavam um sentido de urgência pelos ruídos que vinham de sob meus pés. Um madrigal de estalos e estrondos agudos — o tipo de protesto que um grande galho de pinheiro faz quando é dobrado lentamente até o ponto de ruptura — servia de lembrete de que faz parte da natureza das geleiras mover-se e que é hábito dos *seracs* tombar.

Atravessei uma ponte de neve sobre uma fenda tão profunda que não conseguia ver seu fundo. Um pouco adiante, caí até a cintura numa outra ponte; as varetas seguraram-me acima da fissura de trinta metros, mas depois que me livrei dela curvei-me de náusea, pensando sobre como seria jazer no fundo da fenda, esperando a morte chegar, sem que ninguém estivesse a par de como ou onde eu encontraria meu fim.

A noite quase caíra quando emergi do topo da escarpa do *serac* para entrar no espaço vazio, varrido pelo vento do alto platô glacial. Em estado de choque e gelado até a alma, esquiei para longe da cascata de gelo para tirar seus rumores de meu ouvido, armei a barraca, engatinhei para dentro de meu saco de dormir e caí tremendo num sono espasmódico.

Eu planejara passar entre três semanas e um mês na geleira Stikine. Não gostando da ideia de carregar nas costas um suprimento de comida para quatro semanas junto com pesados apetrechos de acampamento de inverno e ferramentas de alpinismo, pagara a um piloto de táxi aéreo de Petersburg meus últimos 150 dólares para que me jogasse seis caixas de suprimentos de um avião quando eu chegasse ao sopé do Polegar. Mostrei-lhe em seu mapa o local exato onde pretendia acampar e pedi-lhe três dias para chegar lá; ele prometeu passar voando e jogar o material assim que o tempo permitisse.

A 6 de maio, montei o acampamento-base sobre a geleira, a nordeste do Polegar, e esperei pelo avião. Nos quatro dias seguintes nevou, impossibilitando qualquer voo. Apavorado demais com as fendas para me afastar do acampamento, passei a maior parte do tempo na barraca — o teto era baixo demais para que eu pudesse sentar — lutando contra um coro crescente de dúvidas.

À medida que os dias passavam, eu ficava cada vez mais ansioso. Não tinha rádio nem outro meio de comunicação com o mundo exterior. Havia muitos anos que ninguém visitava aquela parte da geleira Stikine e muitos outros se passariam até que alguém visitasse de novo. Eu estava quase sem combustível de fogão e apenas com um naco de queijo, um derradeiro pacote de macarrão Ramen e meia caixa de Cocoa Puffs. Isso, imaginava eu, poderia me sustentar por três ou quatro dias mais se fosse necessário, mas, depois, o que eu faria? Precisaria de apenas dois dias para voltar à baía Thomas, mas poderia se passar facilmente uma semana ou mais até que aparecesse um pescador que pudesse me dar carona até Petersburg (os silvicultores que tinham me trazido estavam acampados a 25 quilômetros abaixo da costa intransitável, cheia de promontórios, em local somente acessível por barco ou avião).

No fim da tarde de 10 de maio, quando fui dormir, ainda estava nevando e ventando forte. Horas depois, ouvi um gemido fraco e momentâneo, pouco mais alto que o zumbido de um mosquito. Abri a porta da barraca. A maioria das nuvens se dissipara, mas não havia avião à vista. O zumbido retornou, mais insistente dessa vez. Então vi:

uma pequenina mancha vermelha e branca no alto do céu, zunindo na minha direção.

Poucos minutos depois, o avião passou sobre minha cabeça. Porém, o piloto não estava acostumado a voar sobre glaciares e tinha calculado muito mal a escala do terreno. Preocupado em voar baixo demais e surpreendido pela turbulência inesperada, ficou a pelo menos trezentos metros acima de mim — acreditando todo o tempo que estava mais perto — e não via minha barraca na luz sem contrastes daquela hora. Meus gestos e gritos não adiantaram nada: de sua altitude, era impossível diferenciar-me de uma pilha de pedras. Durante a hora seguinte, ele deu voltas em torno da calota, esquadrinhando seus contornos desertos sem êxito. Mas o piloto, felizmente, soube avaliar a gravidade de minha situação e não desistiu. Em pânico, amarrei meu saco de dormir na ponta de uma das varetas de cortina e sacudi o quanto pude. O avião inclinou-se bruscamente numa curva e veio reto na minha direção.

O piloto deu três voos rasantes sobre minha barraca, jogando duas caixas de cada vez; depois o avião desapareceu sobre uma crista e fiquei sozinho de novo. Enquanto voltava o silêncio à geleira, eu me sentia abandonado, vulnerável, perdido. Percebi que estava soluçando. Embaraçado, parei com a choradeira e me pus a gritar obscenidades até ficar rouco.

Acordei cedo no dia seguinte, 11 de maio, com céu claro e temperatura relativamente quente de menos seis graus. Espantado com o bom tempo, mentalmente despreparado para começar a verdadeira escalada, mesmo assim arrumei rapidamente uma mochila menor e comecei a esquiar para a base do Polegar. Duas expedições anteriores ao Alasca ensinaram-me que não podia me dar ao luxo de desperdiçar um dia raro de tempo perfeito.

Um pequeno glaciar saliente estende-se para fora da borda da geleira, conduzindo para a face norte do Polegar como se fosse uma passarela. Meu plano era seguir essa passarela até uma rocha proeminente no centro da parede e dali executar um avanço lateral em torno da feia metade inferior da face, sujeita a avalanches.

A passarela revelou-se uma série de campos de gelo de cinquenta graus de inclinação, cobertos de uma camada de neve fofa, na qual eu afundava até os joelhos, e crivada de fendas. A profundidade da neve tornava o avanço lento e exaustivo; quando cheguei à parede do *bergschrund* mais alto, depois de três ou quatro horas de caminhada, estava um lixo. E nem tinha começado a verdadeira escalada. Ela começaria imediatamente acima, onde o glaciar dava lugar à rocha vertical.

A pedra, exibindo falta de pontos de apoio e coberta com quinze centímetros de escarcha farelenta, não parecia promissora, mas logo à esquerda da principal proa havia um canto raso recoberto de água de degelo congelada. Essa faixa de gelo subia direto por noventa metros e se o gelo fosse suficientemente substancial para suportar os golpes de meus piolets a rota poderia ser factível. Mudei de posição, para a base do canto, e enterrei cautelosamente uma de minhas ferramentas no gelo de cinco centímetros de espessura. Sólido e plástico, era mais fino do que eu gostaria, mas encorajador.

A escalada era íngreme e tão exposta que fazia minha cabeça rodopiar. Sob minhas solas Vibram a parede despencava por novecentos metros até o circo sujo e marcado pelas avalanches do glaciar Caldeirão das Bruxas. Para cima, a proa elevava-se com autoridade na direção da crista do pico, oitocentos metros verticais acima. Cada vez que eu enterrava um de meus piolets, essa distância diminuía cinquenta centímetros.

Tudo que me prendia à montanha, tudo que me prendia ao mundo eram dois cravos de cromo molibdênio enfiados uma polegada na água congelada; contudo, quanto mais alto escalava, mais confortável me sentia. No começo de uma escalada difícil, em especial se estamos sozinhos, sentimos constantemente o abismo puxando em nossas costas. Resistir a isso exige um tremendo esforço consciente: não se pode baixar a guarda um instante. O canto da sereia do vazio deixa-nos ansiosos, torna nossos movimentos tateantes, desajeitados, aos trancos e barrancos. Mas, à medida que a escalada prossegue, acostumamo-nos com a exposição, a conviver com o destino, e começamos a acreditar na capacidade de nossas mãos, pés e cabeça. Aprendemos a confiar em nosso autocontrole.

Logo nossa atenção fica tão concentrada que não notamos mais os nós dos dedos esfolados, as cãibras nas pernas, a tensão de manter concentração constante. Um estado semelhante ao transe cai sobre nossos esforços; a escalada torna-se um sonho de olhos abertos. As horas passam como se fossem minutos. O acervo acumulado da existência cotidiana — os lapsos de consciência, as contas não pagas, as oportunidades perdidas, a poeira sob o sofá, a inescapável prisão de seus genes — tudo isso é temporariamente esquecido, excluído de nossos pensamentos pela claridade avassaladora do objetivo e pela gravidade da tarefa em execução.

Nesses momentos, algo parecido com a felicidade bate de fato em seu peito, mas não é o tipo de emoção em que se possa confiar. Na escalada solitária, tudo é preso com coragem e atrevimento, que não são os adesivos mais confiáveis. No final do dia na face norte do Polegar, senti a cola desintegrar-se com um golpe de piolet.

Eu tinha subido quase duzentos metros desde que saíra do glaciar saliente, sempre com as pontas frontais dos grampões e os golpes de meus piolets. A faixa de água congelada acabara depois de noventa metros, dando lugar a uma couraça farelenta de escamas de gelo. Embora apenas substancial o suficiente para sustentar o peso do corpo, a escarcha estava colada à rocha numa espessura de cinquenta centímetros a um metro; assim, continuei subindo. Porém, a parede vinha ficando imperceptivelmente mais íngreme, ao mesmo tempo que as escamas ficavam mais finas. Eu entrara num ritmo lento e hipnótico — balançar, balançar; chutar, chutar; balançar, balançar; chutar, chutar — quando meu piolet esquerdo bateu numa laje de diorito pouco abaixo da escarcha.

Tentei à esquerda, depois à direita, mas continuei batendo na rocha. As escamas de gelo que me sustentavam, ficou claro, tinham talvez treze centímetros de profundidade e uma integridade estrutural de broa de milho dormida. Abaixo havia 1100 metros de ar e eu estava equilibrado sobre um castelo de cartas. O gosto amargo do pânico subiu à minha garganta. Minha visão turvou-se, comecei a respirar mais rápido, minhas pernas começaram a tremer. Mudei para alguns metros à direita, esperando encontrar gelo mais espesso, mas só consegui entortar um piolet na pedra.

Desajeitado, duro de medo, comecei a abrir caminho de volta. A escarcha engrossou aos poucos. Depois de descer uns 25 metros, senti-

-me de novo em base relativamente sólida. Fiz uma longa parada para acalmar os nervos, depois me afastei um pouco de minhas ferramentas e olhei para cima, procurando um sinal de gelo sólido, alguma variação na camada rochosa subjacente, qualquer coisa que permitisse passagem pelas lajes congeladas. Olhei até meu pescoço doer, mas nada apareceu. A escalada terminara. O único caminho a seguir era para baixo.

15
A GELEIRA STIKINE

Mas pouco sabemos até experimentarmos o quanto de incontrolável há em nós, instando-nos a atravessar geleiras e torrentes e subir a alturas perigosas, por mais que o juízo proíba.

JOHN MUIR
AS MONTANHAS DA CALIFÓRNIA

Mas observou a leve crispação no canto da boca de Sam II quando ele olha para você? Significa que não quer que o chame de Sam II, em primeiro lugar, e depois, que tem uma arma de cano cortado na perna esquerda das calças e um gancho giratório na perna direita das calças, e está pronto para matar você com um deles, dada a oportunidade. O pai está surpreso. O que costuma dizer, em tais confrontos, é "eu troquei suas fraldas, seu ranheta". Isso não é a coisa certa para dizer. Primeiro, não é verdade (as mães trocam nove fraldas em cada dez) e, em segundo lugar, lembra instantaneamente Sam II do porquê de sua ira. Ele está com raiva de ser pequeno quando você era grande, mas não, não é isso, ele está com raiva de ser indefeso quando você era poderoso, mas não, não é isso também, ele está com raiva de ser dependente quando você era necessário, não é bem isso, ele está louco porque, quando o amava, você não percebia.

DONALD BARTHELME
O PAI MORTO

Após descer do Polegar do Diabo, neve pesada e ventos fortes mantiveram-me dentro da barraca durante a maior parte dos três dias seguintes. As horas passavam lentamente. Numa tentativa de apressá-las, fumei sem parar enquanto durou meu estoque de cigarros e li. Quando acabou meu material de leitura, fiquei reduzido a estudar a costura do teto da barraca. Fiz isso durante horas, deitado de costas, enquanto debatia acaloradamente comigo mesmo: deveria partir para a costa assim que o tempo abrisse, ou deveria ficar firme e fazer outra tentativa de escalar a montanha?

Na verdade, minha aventura na face norte me assustara e não queria de forma alguma subir o Polegar de novo. Mas a ideia de retornar a Boulder derrotado também não era muito atraente. Eu podia imaginar com facilidade as expressões presunçosas de condolência que receberia dos que estavam certos do meu fracasso desde o início.

Na terceira tarde da tempestade, eu não aguentava mais: com blocos de neve congelada batendo nas minhas costas, as pegajosas paredes de náilon esfregando-se em meu rosto, o cheiro incrível que emanava das profundezas de meu saco de dormir, remexi na bagunça que jazia aos meus pés e localizei um pequeno saco verde no qual havia uma latinha de filme contendo os ingredientes do que eu esperava ser uma espécie de cigarro da vitória. Pretendia reservá-lo para minha volta do pico, mas que diabos, não estava parecendo provável que eu fosse visitar o topo tão cedo. Derramei boa parte do conteúdo da latinha numa folha de papel de cigarro, enrolei um baseado meio torto e fumei-o rapidamente até o fim.

A maconha, é claro, só fez a barraca parecer ainda mais apinhada, mais sufocante, mais impossível de suportar. Também me deu uma fome terrível. Decidi que um pouco de mingau de aveia daria um jeito nas coisas. Prepará-lo, no entanto, era um processo longo e ridículo: era preciso juntar um pote de neve na tempestade lá fora, montar o fogão e acendê-lo, localizar a aveia e o açúcar, limpar de minha tigela os restos do jantar do dia anterior. Acendi o fogão e estava derretendo a neve quando senti cheiro de algo queimando. Um exame cuidadoso do fogão e seus arredores não revelou nada. Desorientado, já estava pronto para debitar aquilo na conta de minha imaginação quimicamente ativada quando ouvi algo crepitar às minhas costas.

Girei a tempo de ver um saco de lixo — no qual jogara o fósforo usado para acender o fogão — desencadear um pequeno incêndio. Batendo no fogo com as mãos, consegui apagá-lo em poucos segundos, mas não antes que um grande pedaço da parede interna da barraca evaporasse diante de meus olhos. A aba embutida escapou das chamas e, assim, a barraca continuava mais ou menos protegida do tempo. Mas agora estava cerca de vinte graus mais frio lá dentro.

A palma da minha mão esquerda começou a arder. Ao examiná-la, notei o vergão cor-de-rosa de uma queimadura. Mas o que me perturbava mais era que aquela barraca cara nem me pertencia: eu a tomara emprestada de meu pai. Estava nova antes de minha viagem, com as etiquetas da loja ainda penduradas, e me fora emprestada com relutância. Durante vários minutos fiquei aturdido, olhando para os destroços da outrora graciosa barraca, em meio ao cheiro acre de náilon derretido e cabelos chamuscados. Era preciso reconhecer, pensei: eu tinha a capacidade de atender às piores expectativas do velho.

Meu pai era uma pessoa irritável, extremamente complicada, dono de um comportamento arrogante que encobria inseguranças profundas. Se alguma vez na vida admitiu que estava errado, eu não estava por perto para testemunhar. Mas foi meu pai, um montanhista de fim de semana, quem me ensinou a escalar. Comprou-me minha primeira corda e meu primeiro piolet quando eu tinha oito anos de idade e levou-me à cadeia Cascade para fazer um ataque ao Irmã do Sul, um vulcão suave de 3 mil metros, não muito distante de nossa casa no Oregon. Nunca lhe ocorreu que um dia eu tentaria organizar minha vida em função do alpinismo.

Homem bom e generoso, Lewis Krakauer amava profundamente seus cinco filhos, do jeito autocrático dos pais, mas sua visão de mundo era matizada por uma natureza incansavelmente competitiva. A vida, tal como a concebia, era uma disputa. Lia e relia as obras de Stephen Potter — o escritor inglês que criou os termos *one-upmanship* e *gamesmanship* — não como uma sátira social, mas como um manual de estratagemas práticos. Era ambicioso ao extremo e, tal como Walt McCandless, estendia suas aspirações à sua prole.

Antes mesmo que eu entrasse no jardim de infância, ele já começou a me preparar para uma brilhante carreira na medicina ou, se isso falhasse, direito, como consolação. No Natal e de aniversário, ganhava presentes como microscópio, conjunto de química e a *Enciclopédia britânica*. Da escola primária ao secundário, meus irmãos, minhas irmãs e eu fomos instigados a ser os melhores em todas as matérias, ganhar medalhas em feiras de ciências, ser eleita princesa do baile, eleger-se para o grêmio estudantil. Dessa forma, e somente dessa forma, aprendemos, poderíamos ter a esperança de ser admitidos na escola superior correta que, por sua vez, nos conduziria à Faculdade de Medicina de Harvard: o único caminho seguro para o sucesso significativo e a felicidade duradoura.

A fé de meu pai nesse projeto era inabalável. Afinal, era o caminho que ele seguira para a prosperidade. Mas eu não era um clone de meu pai. Na adolescência, ao me dar conta disso, desviei do curso projetado aos poucos e, depois, totalmente. Minha insurreição provocou uma enorme gritaria. As janelas de nossa casa estremeciam ao som dos ultimatos. Quando deixei Corvallis, Oregon, para me matricular numa faculdade distante e obscura, só falava com meu pai entre dentes, ou nem isso. Quatro anos depois, quando terminei a graduação e não fui para Harvard ou qualquer outra escola de medicina, mas me tornei carpinteiro e vagabundo alpinista, o abismo intransponível entre nós alargou-se.

Eu ganhara liberdade e responsabilidade incomuns em tenra idade, pelo que deveria ter sido extremamente agradecido, mas não fui. Em vez disso, sentia-me oprimido pelas expectativas do velho. Foi-me enfiado goela abaixo que qualquer coisa menos que vencer era um fracasso. No modo impressionável dos filhos, não considerei isso de maneira retórica, mas literal. E foi por isso que mais tarde, quando velhos segredos da família vieram à luz, quando percebi que aquela divindade que exigia apenas perfeição era ela mesma menos que perfeita, e que na verdade ele não era nenhum deus — bem, não consegui ficar indiferente. Ao contrário, fui consumido por uma raiva cega. A revelação de que ele era meramente humano, e de forma espantosa, estava além do meu poder de perdoar.

Duas décadas depois do fato descobri que minha raiva se fora, e já havia anos. Fora suplantada por uma compreensão tristonha, algo não muito distinto de afeição. Acabei por entender que eu frustrara e enfurecera meu pai tanto quanto ele me frustrara e enfurecera. Percebi que eu fora egoísta, inflexível e um grande pé no saco. Ele construíra uma ponte de privilégios para mim, uma ponte de cavaletes feita à mão para uma boa vida, e eu lhe pagara derrubando sua obra e cagando sobre os destroços.

Mas essa epifania ocorreu somente após a ação do tempo e do infortúnio, quando a existência enfatuada de meu pai começou a desmoronar. Iniciou com a traição de sua carne: trinta anos depois de uma batalha contra a pólio, os sintomas reapareceram misteriosamente. Músculos aleijados definharam mais, sinapses não detonavam, pernas debilitadas recusavam-se a andar. De revistas de medicina ele deduziu que estava sofrendo de uma moléstia recém-identificada, conhecida como síndrome pós-poliomielite. Dores às vezes insuportáveis preenchiam seus dias como um ruído constante e estridente.

Numa tentativa irrefletida de deter o declínio, ele começou a se automedicar. Jamais ia a algum lugar sem sua valise de couro falso lotada de dezenas de frascos de plástico cor de laranja. A cada uma ou duas horas, remexia na valise de remédios, olhando de relance para os rótulos e catando comprimidos de dexedrina, Prozac e deprenyl. Engolia pílulas aos punhados, fazendo caretas, sem água. Seringas usadas e ampolas vazias apareciam na pia do banheiro. Num grau cada vez maior, sua vida girava em torno de uma farmacopeia autoadministrada de esteroides, anfetaminas, antidepressivos e analgésicos, e as drogas estragaram sua outrora formidável mente.

À medida que seu comportamento se tornava cada vez mais irracional, mais delirante, os últimos amigos se afastavam. Minha mãe, que sofria havia tanto tempo, não teve mais escolha senão ir embora. Meu pai cruzou a linha da loucura e depois quase teve êxito em se matar — ato ao qual, antes de cometer, se certificou de que eu estava presente.

Depois da tentativa de suicídio, foi internado num hospital psiquiátrico de Portland. Quando o visitei, seus braços e pernas estavam amarrados à cama. Falava de modo incoerente e se borrara. Seus olhos estavam desvairados. Fuzilavam em desafio num momento, em terror incompreensível no instante seguinte, rolavam nas órbitas, dando uma visão clara e assustadora do estado de sua mente torturada. Quando as

158

enfermeiras tentaram mudar seus lençóis, debateu-se e amaldiçoou-as, amaldiçoou a mim, amaldiçoou o destino. Que seu plano de vida infalível o tivesse levado para aquele lugar, para aquele pesadelo, era uma ironia que não me dava nenhum prazer e fugia a seu entendimento.

Havia uma outra ironia que ele não conseguia apreciar: sua luta para moldar-me à sua imagem acabara tendo sucesso. A velha morsa conseguira de fato instilar-me uma ambição grande e ardente, só que ela encontrara expressão numa busca não premeditada. Ele nunca entendeu que o Polegar do Diabo era o mesmo que a escola de medicina, apenas diferente.

Suponho que foi essa ambição herdada e desordenada que me impediu de admitir a derrota na geleira Stikine depois do fracasso de minha tentativa inicial de escalar o Polegar, mesmo tendo queimado boa parte da barraca. Três dias depois de recuar em minha primeira tentativa, fui para a face norte de novo. Dessa vez, escalei apenas 35 metros acima do *bergschrund*: a falta de tranquilidade e a chegada de uma ventania com neve forçaram-me a dar a volta.

Contudo, em vez de descer para meu acampamento-base, decidi passar a noite no flanco escarpado da montanha, logo abaixo do ponto mais alto que atingira. Isso foi um erro. No final da tarde, a ventania transformou-se em forte tempestade. A neve caía das nuvens ao ritmo de uma polegada por hora. Enquanto eu me agachava dentro de meu bivaque, sob a borda do *bergschrund*, avalanches espumantes desciam pelo paredão e me varriam como ondas, enterrando aos poucos minha saliência de rochedo.

Demorou cerca de vinte minutos para que a espuma inundasse meu bivaque — um envelope fino de náilon, exatamente do mesmo formato de um saquinho de sanduíche, apenas maior — até o nível da abertura de respiração. Quatro vezes isso aconteceu e quatro vezes me desenterrei. Depois do quinto soterramento, não aguentei mais. Joguei todos os meus apetrechos na mochila e fugi para o acampamento.

A descida foi aterrorizante. Por causa das nuvens, da nevasca e da luz mortiça que desaparecia aos poucos, eu não conseguia diferenciar céu de terra. Fiquei preocupado, com ampla razão, em que poderia pisar cegamente fora de um *serac* e acabar no fundo do Caldeirão das Bruxas, oitocentos metros abaixo. Quando cheguei finalmente à planície congelada da geleira, descobri que minhas pegadas tinham desaparecido. Não tinha pistas para localizar a barraca no platô glacial sem pontos de referência. Esperando ter sorte e dar de cara com meu acampamento, esquiei em círculos durante uma hora, até enfiar os pés numa pequena greta e perceber que estava agindo como um idiota e que deveria agachar-me onde estava e esperar que a tempestade passasse.

Cavei um buraco raso, enrolei-me no saco de bivaque e sentei-me em minha mochila, sob o torvelinho da neve que se acumulava à minha volta. Meus pés ficaram dormentes. Um frio úmido descia da base do meu pescoço para o peito, onde a espuma de neve entrara em minha parca e ensopara minha camisa. Se ao menos tivesse um cigarro, pensei, um único cigarro, poderia apelar para a força de caráter e assumir um ar de satisfeito naquela situação fodida, em toda aquela viagem estúpida. Estreitei o saco de náilon em torno de meus ombros. O vento cortava minhas costas. Sem pudor, deitei minha cabeça nos braços e entrei numa orgia de autocomiseração.

Eu sabia que, às vezes, as pessoas morriam escalando montanhas. Mas, aos 23 anos de idade, a mortalidade pessoal — a ideia de minha própria morte — estava em larga medida fora de meu alcance conceitual. Quando parti de Boulder para o Alasca, minha cabeça nadando em visões de glória e redenção sobre o Polegar do Diabo, não me ocorrera que poderia estar sujeito às mesmas relações de causa e efeito que governavam as ações dos outros. Já que desejava tanto escalar a montanha, já que pensava de forma tão intensa sobre o Polegar havia tanto tempo, parecia fora do reino da possibilidade que algum obstáculo menor, como o tempo, as gretas ou a rocha coberta de escarcha, pudesse contrariar minha vontade.

No final do dia, o vento cessou e o teto subiu cinquenta metros acima da geleira, permitindo-me localizar meu acampamento. Voltei intacto à barraca, mas não era mais possível ignorar o fato de que o Polegar fizera picadinho de meus planos. Fui forçado a reconhecer que a volição sozinha, por mais poderosa, não iria me levar paredão norte acima. Percebi, finalmente, que nada faria isso.

Porém, ainda havia uma chance de salvar a expedição. Uma semana antes, eu esquiara pelo lado sudeste da montanha para dar uma olhada na rota pela qual pretendia descer do pico depois de subir pela parede norte, uma rota que Fred Beckey, o lendário alpinista, tinha seguido em 1946 ao fazer a primeira escalada ao Polegar. Durante meu reconhecimento, notara uma óbvia linha não escalada à esquerda da rota de Beckey — uma rede desigual de gelo formando um ângulo com a face sudeste — que me pareceu um caminho relativamente fácil de chegar ao topo. Na ocasião, considerei essa rota indigna de minhas atenções. Agora, no recuo de minha calamitosa dificuldade com a *nordwand*, estava preparado para baixar meus padrões.

Na tarde de 15 de maio, quando a nevasca finalmente diminuiu, voltei à face sudeste e subi até uma crista delgada que confina com o pico mais alto como um botaréu numa catedral gótica. Decidi passar a noite ali, na crista estreita, quinhentos metros abaixo do topo. O céu estava frio e sem nuvens. Podia enxergar até a costa do mar e mais adiante. Ao anoitecer, vi petrificado as luzes de Petersburg piscarem a oeste. Durante toda a expedição, a coisa mais próxima de contato humano que eu tivera fora com o piloto que jogara as caixas; agora as luzes distantes deflagravam uma onda de emoção que me pegava desprevenido. Imaginei as pessoas vendo beisebol na televisão, comendo frango frito em cozinhas bem iluminadas, bebendo cerveja, fazendo amor. Quando me deitei para dormir, estava tomado por uma solidão dolorosa. Nunca me sentira tão sozinho, nunca.

Naquela noite tive sonhos perturbadores, de uma batida policial, vampiros e uma execução ao estilo da Máfia. Ouvi alguém sussurrar: "Acho que ele está aqui...". Sentei-me subitamente e abri os olhos. O sol estava para nascer. O céu inteiro estava escarlate. Ainda estava claro, mas uma fina e delicada camada de cirros tinha se espalhado pela alta atmosfera e uma linha escura de tempestade estava visível logo acima do horizonte, a sudoeste. Enfiei minhas botas e amarrei apressadamente meus grampões. Cinco minutos depois de acordar, estava escalando.

Não levava corda, nem barraca ou apetrecho de bivaque, nenhuma ferramenta, exceto meus piolets. Meu plano era avançar leve e rápido, atingir o cume e voltar antes que o tempo virasse. Forçando-me, continuamente sem fôlego, disparei para cima e para a esquerda, através de pequenos campos de neve ligados por fendas obstruídas por gelo e pequenos degraus rochosos. A escalada foi quase divertida — a rocha estava coberta de grandes pontos de apoio, e o gelo, embora fino, nunca ficava mais íngreme que setenta graus — mas eu estava ansioso por causa da tempestade que vinha do Pacífico, escurecendo o céu. Eu não tinha relógio, mas no que pareceu um tempo muito curto estava no característico campo de gelo final. Àquela altura, o céu inteiro estava manchado de nuvens. Parecia mais fácil prosseguir em ângulo para a esquerda, mas mais rápido ir direto para o topo. Temeroso de ser surpreendido por uma tempestade lá em cima, sem abrigo, optei pela rota direta. O gelo ficava mais íngreme e afinava. Meu piolet da esquerda bateu em pedra. Procurei outro ponto e uma vez mais ele ricocheteou com um tinido surdo. E de novo, e de novo. Era uma repetição de minha primeira tentativa na face norte. Olhando entre minhas pernas, vi de relance a geleira a mais de seiscentos metros abaixo. Meu estômago revirou.

Quinze metros acima de mim, o paredão descansava sobre o ombro íngreme do cume. Agarrei-me firme aos meus piolets, imóvel, atormentado pelo terror e pela indecisão. Olhei novamente para baixo, depois para cima, então raspei a camada de gelo acima de minha cabeça. Enganchei a ponta de meu piolet da esquerda numa beira de rocha fina como uma moeda e fiz um teste. Ela aguentava. Tirei meu piolet direito do gelo, ergui-me e enfiei a ponta numa fissura torta de meia polegada até ficar presa. Mal podendo respirar, movi meus pés para cima, arranhando o gelo com a ponta de meus grampões. Erguendo ao máximo meu braço esquerdo, bati delicadamente com o piolet na superfície polida, opaca, sem saber o que atingiria sob ela. A picareta entrou com um sólido *whunk*! Poucos minutos depois, eu estava sobre uma saliência larga. O cume propriamente dito, uma ponta de rocha delgada que florescia num grotesco merengue de gelo atmosférico, estava seis metros acima.

As frágeis escamas de gelo garantiam que aqueles metros restantes seriam duros, perigosos, custosos. Mas de repente não havia lugar mais alto para ir. Senti meus lábios rachados abrir-se num sorriso dolorido. Eu estava no topo do Polegar do Diabo.

Apropriadamente, o cume era um lugar maligno, surrealista, uma cunha fina de pedra e escarcha não mais larga que um arquivo. Não estimulava o ócio. Empoleirado sobre o ponto mais alto, eu via a face sul despencar sob meu pé direito por oitocentos metros; abaixo de meu pé esquerdo, a face norte tinha o dobro dessa altura. Tirei algumas fotos para provar que estivera lá e passei alguns minutos tentando endireitar uma picareta que entortara. Depois me ergui, virei-me cuidadosamente e parti para casa.

Uma semana depois, estava acampado sob a chuva, ao lado do mar, maravilhado com a visão de musgos, salgueiros, mosquitos. O ar salgado trazia o rico fedor da vida marinha. Logo, um pequeno esquife motorizado entrou na baía Thomas e atracou na praia, não longe de minha barraca. O homem que dirigia o barco apresentou-se como Jim Freeman, um madeireiro de Petersburg. Era seu dia folga e fizera a viagem para mostrar à família a geleira e procurar ursos. Perguntou-me se "estava caçando ou o quê".

"Não", respondi acanhado. "Na verdade, eu acabei de escalar o Polegar do Diabo. Estou por aqui há vinte dias."

Freeman brincou com um cunho do convés e não disse nada. Era óbvio que não acreditava em mim. Também não parecia aprovar meus cabelos compridos e emaranhados, nem meu cheiro depois de três semanas sem tomar banho ou mudar de roupa. Porém, quando pedi uma carona para a cidade, ele respondeu com um relutante "não vejo por que não".

A água estava encapelada e a travessia do estreito de Frederick demorou duas horas. Freeman foi ficando mais cordial enquanto conversávamos. Ainda não estava convencido de que eu escalara o Polegar, mas quando entrou com o barco no estreito de Wrangell já fingia acreditar. Após atracar, insistiu em comprar-me um cheeseburger. E convidou-me para passar a noite numa van caindo aos pedaços, que usava como estepe, estacionada em seu quintal.

Deitei-me no banco de trás do velho carro, mas não consegui dormir. Então me levantei e fui até um bar chamado Kito's Kave. A euforia, a sensação total de alívio que tinham acompanhado inicialmente meu retorno a Petersburg sumiram, dando lugar a uma inesperada melancolia. As pessoas com quem conversei no bar não pareciam duvidar de que eu tivesse escalado o Polegar; elas simplesmente não davam muita importância para aquilo. Com o correr da noite, o lugar esvaziou, só fiquei eu e um velho e desdentado indígena tlingit numa mesa dos fundos. Eu bebia sozinho, pondo moedas na *jukebox*, tocando as mesmas cinco músicas sem parar, até que a garçonete gritou furiosa: "Ei, garoto! Dá uma folga, porra!". Balbuciei uma desculpa, saí de fininho e cambaleei até a van de Freeman. Ali, cercado pela agradável fragrância de óleo velho de motor, deitei-me no chão perto de um câmbio desmontado e desmaiei.

Menos de um mês depois de sentar-me no topo do Polegar, estava de volta a Boulder, batendo pregos no Spruce Street Townhouses, o mesmo condomínio onde trabalhava antes de partir para o Alasca. Ganhei um aumento, para quatro paus a hora, e no final do verão mudei-me do trailer para um apartamento barato perto do centro.

É fácil, quando se é jovem, acreditar que aquilo que desejamos é nada mais que aquilo que merecemos, supor que, se queremos muito alguma coisa, é nosso direito divino tê-la. Quando decidi ir ao Alasca naquele abril, tal como Chris McCandless, eu era um jovem inexperiente que tinha paixão por insight e agia conforme uma lógica obscura e cheia de furos. Achava que escalar o Polegar do Diabo resolveria tudo que estava errado em minha vida. No fim, é claro, não mudou quase nada. Mas passei a perceber que as montanhas são receptáculos pobres para sonhos. E sobrevivi para contar minha história.

Quando jovem, eu era diferente de McCandless em muitos aspectos importantes, sendo o mais notável que eu não tinha seu intelecto, nem seus ideais elevados. Mas creio que fomos afetados de modo similar pelas relações enviesadas que tivemos com nossos pais. E suspeito que tivemos uma veemência semelhante, uma imprudência parecida, a mesma agitação da alma.

O fato de eu ter sobrevivido à minha aventura no Alasca e McCandless não ter sobrevivido à sua deveu-se, em larga medida, à sorte. Se eu não tivesse retornado da geleira Stikine em 1977, as pessoas diriam facilmente — como dizem agora dele — que eu tinha um desejo de morte. Dezoito anos após o acontecimento, reconheço que sofria de mania de grandeza, talvez, e de uma inocência estarrecedora, com certeza, mas não era suicida.

Naquele estágio de minha juventude, a morte era um conceito tão abstrato quanto a geometria não euclidiana ou o casamento. Eu ainda não avaliava seu terrível não retorno ou o estrago que podia causar naqueles que amavam o falecido. Eu era instigado pelo mistério obscuro da mortalidade. Não pude resistir a me insinuar até a beira do abismo e dar uma espiada para fora. A sugestão do que estava escondido naquelas sombras me aterrorizou, mas entrevi algo num relance, um enigma elementar e proibido que não era menos atraente que as pétalas escondidas e delicadas do sexo de uma mulher.

No meu caso — e, acredito, no caso de Chris McCandless —, isso era muito diferente de querer morrer.

16
O INTERIOR DO ALASCA

Eu gostaria de adquirir a simplicidade, os sentimentos nativos e as virtudes da vida selvagem; despojar-me dos hábitos artificiais, preconceitos e imperfeições da civilização; [...] e encontrar, em meio à solidão e grandeza do Oeste selvagem, visões mais corretas da natureza humana e dos verdadeiros interesses do homem. A estação das neves seria a preferida, para que eu pudesse experimentar o prazer do sofrimento e a novidade do perigo.

ESTWICK EVANS
UMA EXCURSÃO PEDESTRE DE 6 MIL QUILÔMETROS
PELOS ESTADOS E TERRITÓRIOS DO OESTE, DURANTE
O INVERNO E A PRIMAVERA DE 1818

As regiões selvagens atraíam aqueles que estavam aborrecidos ou desgostosos com o homem e suas obras. Elas não só ofereciam uma fuga da sociedade, mas também um palco ideal para o indivíduo romântico exercer o culto que frequentemente fazia de sua própria alma. A solidão e a liberdade total da natureza criavam o cenário perfeito para a melancolia ou a exaltação.

RODERICK NASH
AS REGIÕES SELVAGENS E A MENTE AMERICANA

A 15 de abril de 1992, Chris McCandless partiu de Cartago, Dakota do Sul, na cabine de um caminhão que levava uma carga de sementes de girassol: sua "grande odisseia alasquiana" estava em andamento.

Três dias depois, cruzou a fronteira do Canadá em Roosville, Colúmbia Britânica, e pegou carona para o Norte, passando por Skookumchuck e Radium Junction, Lago Louise e Jasper, Príncipe George e Dawson Creek — onde, no centro da cidade, tirou uma foto da placa que marca o início oficial da rodovia do Alasca: MILHA 0, diz o cartaz, FAIRBANKS 1523 MILHAS [2453 quilômetros]. Pode ser difícil pegar carona na rodovia do Alasca. Não é raro ver, nas cercanias de Dawson Creek, uma dezena ou mais de homens e mulheres desconsolados ao longo do acostamento, com os polegares levantados. Alguns podem esperar uma semana ou mais por uma carona. Mas McCandless não precisou esperar tanto. A 21 de abril, apenas seis dias depois de sair de Cartago, chegou a Liard River Hotsprings, no limiar do território de Yukon.

Há um camping público em Liard River, do qual sai uma passarela de tábuas que atravessa oitocentos metros de pântano para chegar a uma série de termas naturais. É a parada mais popular da rodovia e McCandless decidiu fazer uma pausa para um banho nas águas calmantes. Porém, depois do banho, ao tentar pegar carona para o Norte, descobriu que sua sorte mudara. Dois dias depois, ainda estava em Liard River, impaciente, indo a lugar nenhum.

Às seis e meia da manhã de uma quinta-feira animada, com o solo ainda congelado, Gaylord Stuckey saiu da passarela para a maior das piscinas, esperando ter o lugar todo só para ele. Surpreendeu-se, portanto, ao encontrar alguém já instalado na água fumegante, um jovem que se apresentou como Alex.

Natural do estado de Indiana, careca, rosto rechonchudo e jovial, Stuckey estava indo para o Alasca a fim de entregar uma nova *motor home* para um negociante de Fairbanks, um trabalho de tempo parcial que conseguira desde que se aposentara, após quarenta anos no negócio de restaurantes. Quando falou a McCandless de seu destino, o rapaz exclamou: "Ei, é para onde estou indo também! Mas estou parado aqui há dois dias, tentando pegar uma carona. Você se importa se eu for com você?".

"Diacho", respondeu Stuckey, "eu adoraria, meu filho, mas não posso. A companhia tem regras rígidas contra dar carona. Posso ser posto na rua." Porém, enquanto conversava com McCandless no meio da névoa sulfurosa, começou a reconsiderar. "Alex estava de barba feita e cabelos curtos e pela linguagem que usava dava para perceber que era um cara realmente inteligente. Não era o que você chamaria de um caroneiro típico. Eu geralmente desconfio deles. Imagino que deve haver alguma coisa de errado com um cara que não consegue pagar uma passagem de ônibus. Assim, depois de uma meia hora, eu disse: 'Sabe de uma coisa, Alex: Liard fica a 1600 quilômetros de Fairbanks. Eu levo você até metade do caminho, até Whitehorse; lá você consegue uma carona para o resto da viagem'."

Um dia e meio depois, no entanto, quando chegaram a Whitehorse — capital do território de Yukon e maior e mais cosmopolita cidade na rodovia do Alasca —, Stuckey estava gostando tanto da companhia de McCandless que mudou de ideia e concordou em levar o rapaz até o fim. "Alex não se abriu nem falou muito no começo", relata Stuckey. "Mas é uma viagem longa e lenta. Passamos um total de três dias juntos naquelas estradas irregulares e, no fim, ele como que baixou a guarda. Vou lhe dizer: era um garoto fino. Educado mesmo, não falava palavrão e toda aquela gíria. Dava para ver que vinha de uma boa família. Falava mais de sua irmã. Não se dava muito bem com seus pais, acho. Me disse que seu pai era um gênio, um cientista de foguetes da Nasa, mas que tinha sido bígamo uma vez e esse tipo de coisa ia contra o temperamento de Alex. Disse que fazia uns dois anos que não via os pais, desde sua formatura na faculdade."

McCandless foi franco com Stuckey sobre sua intenção de passar o verão sozinho no mato, vivendo da terra. "Disse que era uma coisa que queria fazer desde quando era pequeno", continua Stuckey. "Que não queria ver uma única pessoa, nenhum avião, nenhum sinal de civilização. Queria provar para ele mesmo que podia se virar sozinho, sem a ajuda de ninguém."

Stuckey e McCandless chegaram a Fairbanks na tarde de 25 de abril. O velho levou o menino a uma mercearia, onde comprou um grande saco de arroz, "e então Alex disse que queria ir até a universidade para estudar que tipo de plantas poderia comer. Frutas silvestres e coisas assim. Eu disse a ele: 'Alex, você está muito adiantado. Ainda tem meio metro, quase um metro de neve no solo. Não há nada crescendo ainda'. Mas ele estava bem decidido. Estava mordendo o freio para sair e começar a caminhada". Stuckey levou-o até o campus da Universidade do Alasca, no extremo oeste de Fairbanks, e deixou-o às cinco e meia da tarde.

"Antes de deixá-lo", completa Stuckey, "eu disse: 'Alex, carreguei você por 1600 quilômetros. Alimentei você durante três dias seguidos. O mínimo que você pode fazer é me mandar uma carta quando voltar do Alasca'. Ele prometeu que faria isso.

"Pedi e implorei também que telefonasse para seus pais. Não posso imaginar coisa pior do que ter um filho por aí e não saber onde ele está durante anos e anos, sem saber se está vivo ou morto. 'Aqui está o número do meu cartão de crédito', disse a ele. '*Por favor*, telefone para eles!' Mas tudo o que ele disse foi 'Talvez sim, talvez não'. Depois que foi embora, pensei: 'Ah, por que não peguei o telefone dos pais dele para ligar eu mesmo?'. Mas tudo aconteceu tão depressa."

Depois de largar McCandless na universidade, Stuckey foi para a cidade entregar a *motor home* no revendedor, mas a pessoa responsável por receber veículos novos já tinha ido para casa e só voltaria na segunda-feira de manhã, deixando Stuckey com dois dias para matar o tempo em Fairbanks, antes que pudesse tomar o avião de volta para Indiana. No domingo de manhã, com tempo sobrando, retornou ao campus. "Esperava encontrar Alex e passar outro dia com ele, levá-lo a passear ou outra coisa. Procurei durante um par de horas, andei pelo lugar todo, mas não vi nem sombra dele. Já tinha ido embora."

Depois de se separar de Stuckey no final da tarde de sábado, McCandless passou dois dias e três noites nas vizinhanças de Fairbanks, boa parte do tempo na universidade. Na livraria do campus, enfiado na prateleira de baixo da seção sobre o Alasca, topou com um guia de campo acadêmico, uma pesquisa exaustiva sobre as plantas comestíveis da região: *Tanaina plantlore/ Dena'ina K'et'una: an ethnobotany of the Dena'ina indians of Southcentral Alaska* [O conhecimento de plantas tanaina/ Dena'ina K'et'una: uma etnobotânica dos índios Dena'ina do centro-sul do Alasca], de Priscilla Russell Kari. De um suporte de postais próximo ao caixa pegou dois cartões de um urso polar, nos quais escreveu suas mensagens finais para Wayne Westerberg e Jan Burres e mandou-as do posto dos correios da universidade.

Examinando os anúncios classificados, encontrou uma arma usada para vender, uma Remington calibre .22 semiautomática, com uma mira de 4 por 20 e coronha de plástico. Modelo chamado de Náilon 66, fora de produção, era a arma favorita dos caçadores do Alasca por causa de seu peso leve e sua confiabilidade. Ele fechou o negócio num estacionamento, pagando provavelmente 125 dólares pela arma, e depois comprou quatro caixas de cem balas de rifle de ponta oca numa loja de armas próxima.

Na conclusão de seus preparativos em Fairbanks, McCandless carregou sua mochila e começou a andar para oeste a partir da universidade. Deixando o campus, passou o Instituto Geofísico, um edifício alto de vidro e concreto encimado por uma grande antena de satélite. A antena, um dos marcos mais característicos de Fairbanks, fora erguida para coletar dados de satélites equipados com radar de abertura sintética, criação de Walt McCandless. Com efeito, Walt visitara Fairbanks nos primórdios da estação receptora e criara alguns dos softwares essenciais para sua operação. Se o Instituto Geofísico fez Chris lembrar-se de seu pai enquanto passava, não há registro disso.

Seis quilômetros a oeste da cidade, no frio cada vez maior do fim de tarde, McCandless montou sua barraca num trecho de terreno congelado cercado por bétulas, não longe da crista de uma ribanceira que dá para a Gold Hill Gas & Liquor. A cinquenta metros de seu acampamento ficava a rodovia George Parks, a estrada que o levaria à Stampede Trail. Acordou cedo na manhã de 28 de abril, desceu até a rodovia no lusco-fusco do amanhecer e ficou agradavelmente surpreso quando o primeiro veículo a passar parou para lhe dar uma carona. Era uma picape cinza Ford com um adesivo atrás que declarava PESCO, LOGO SOU. PETERSBURG, ALASCA. O motorista do carro, um eletricista que ia para Anchorage, não era muito mais velho que McCandless. Disse que seu nome era Jim Gallien.

Três horas depois, Gallien saiu da rodovia na direção oeste e avançou até onde pôde com a picape por uma estrada lateral meio abandonada. Quando deixou McCandless na Stampede Trail, a temperatura estava perto de zero grau — cairia para perto de menos doze à noite —, e meio metro de neve dura de primavera cobria o solo. O menino mal podia conter sua excitação. Finalmente, estava prestes a ficar sozinho na vastidão selvagem do Alasca.

Caminhando penosamente pela trilha, vestindo uma parca de pele falsa, com o rifle pendurado em um ombro, a única comida que McCandless levava era um saco de quatro quilos e meio de arroz de grãos longos — e os dois sanduíches e o saco de *corn chips* que Gallien oferecera. Um ano antes, ele subsistira por mais de um mês ao lado do golfo da Califórnia com a metade daquele arroz e muito peixe pescado com um anzol barato, uma experiência que o deixou confiante de que poderia colher alimento suficiente para sobreviver também a uma estada prolongada no ermo do Alasca.

O item mais pesado da mochila meio cheia de McCandless era sua biblioteca: nove ou dez brochuras, a maioria dada por Jan Burres em Niland. Entre esses volumes estavam obras de Thoreau, Tolstoi e Gogol, mas McCandless não era um esnobe literário: carregava simplesmente o que achava que poderia gostar de ler, inclusive livros populares de Michael Crichton, Robert Pirsig e Louis L'Amour. Tendo esquecido de levar papel para escrever, começou um diário lacônico em algumas páginas em branco do final do *Tanaina plantlore*.

A ponta da Stampede Trail próxima a Healy é cruzada por um punhado de gente em trenós puxados por cães, excursionistas esquiadores e entusiastas de *snowmobiles* durante os meses de inverno, mas somente até que os rios congelados começam a se romper, no final de março ou início de abril. Na época em que McCandless se dirigiu para o mato, havia água aberta correndo na maioria dos rios e ninguém avançara muito pela trilha nas duas ou três últimas semanas; restavam somente fracos traços do rastro de um *snowmobile* para seguir.

McCandless chegou ao rio Teklanika no seu segundo dia de marcha. Embora as margens estivessem cheias de transbordamento congelado, não havia ponte de gelo sobre a água e ele foi forçado a vadear o rio. Houvera um grande degelo no início de abril e o rompimento do gelo chegara mais cedo em 1992, mas o tempo voltara a esfriar; o rio estava então bastante baixo, permitindo que McCandless o cruzasse — provavelmente com água no máximo até a coxa — sem dificuldade. Ele nunca suspeitou que, ao fazê-lo, estava cruzando seu Rubicão. A seus olhos inexperientes, não havia nada que sugerisse que dois meses depois, quando as geleiras e campos de neve nas cabeceiras do Teklanika degelassem ao sol de verão, sua descarga multiplicaria por nove ou dez vezes o volume de água, transformando o rio numa torrente profunda e violenta, sem nenhuma semelhança com o plácido riacho que alegremente vadeara em abril.

A partir de seu diário, sabemos que a 29 de abril McCandless caiu através do gelo em algum lugar. Isso aconteceu provavelmente quando atravessava uma série de barragens de castores, logo adiante da margem esquerda do Teklanika, mas nada indica que tenha sofrido algum ferimento. Um dia depois, quando a trilha atinge uma crista, teve sua primeira visão dos altos bastiões brancos e ofuscantes do McKinley e, no dia seguinte, 1º de maio, a trinta e poucos quilômetros de onde fora deixado por Gallien, topou com o velho ônibus ao lado do rio Sushana. Continha um beliche e um fogão feito de tonel e visitantes anteriores tinham deixado no abrigo improvisado um estoque de fósforos, veneno contra insetos e outros artigos essenciais. "Dia do Ônibus Mágico", escreveu ele em seu diário. Decidiu ficar um tempo no veículo e aproveitar seus confortos rústicos.

Sentia-se eufórico por estar ali. Dentro do ônibus, numa folha de compensado que tapava uma janela quebrada, McCandless rabiscou uma declaração exultante de independência:

> Dois anos ele caminha pela terra. Sem telefone, sem piscina, sem animal de estimação, sem cigarros. Liberdade definitiva. Um extremista. Um viajante estético cujo lar é a estrada. Fugido de Atlanta, não retornarás, porque "o Oeste é o melhor". E agora depois de dois anos errantes chega à última e maior aventura. A batalha final para matar o ser falso interior e concluir vitoriosamente a revolução espiritual. Dez dias e noites de trens de carga e pegando carona trazem-no ao grande e branco Norte. Para não mais ser envenenado pela civilização, ele foge e caminha sozinho sobre a terra para perder-se na natureza.
>
> Alexander Supertramp
Maio de 1992

A realidade, no entanto, logo iria se intrometer na fantasia de McCandless. Encontrou dificuldades para caçar e as anotações diárias na sua primeira semana de mato indicam "Fraqueza", "Detido pela neve" e "Desastre". Viu um urso, mas não atirou, no dia 2 de maio, errou os tiros que deu em alguns patos no dia 4 e, por fim, matou e comeu um galo silvestre no dia 5. Não atirou em mais nada até o dia 9, quando matou um pequeno esquilo, e já escrevera no diário "quarto dia de fome".

Mas logo depois sua sorte mudou para muito melhor. Na metade de maio, o sol já passava no alto do céu, inundando a taiga de luz. O sol deitava-se no horizonte setentrional por menos de quatro horas por dia e à meia-noite o céu ainda estava claro o suficiente para ler. Em todos os lugares, com exceção das encostas de face norte e das ravinas sombrias, a neve derretera, deixando aparecer o solo e frutos da roseira e *lingonberries* da estação anterior, que McCandless colheu e comeu em grande quantidade.

Começou também a ter mais sucesso na caça e nas seis semanas seguintes banqueteou-se com esquilo, galo silvestre, pato, ganso e porco-espinho. A 22 de maio, caiu uma coroa de um de seus dentes molares, mas o fato não parece ter diminuído seu ânimo, pois no dia seguinte ele escalou os noventa metros de uma colina íngreme sem nome, semelhante a uma corcova, que se ergue ao norte do ônibus, dando-lhe uma visão de toda a extensão gelada da cadeia do Alasca e quilômetros de terra desabitada. Sua anotação do dia é caracteristicamente lacônica, mas sem dúvida jubilosa: "ESCALEI MONTANHA!".

McCandless dissera a Gallien que pretendia permanecer em movimento durante sua estada no mato: "Vou partir e continuar caminhando para oeste. Quem sabe vou até o mar de Bering". A 5 de maio, depois de fazer uma pausa de quatro dias no ônibus, retomou sua perambulação. Com base nas fotos resgatadas de sua Minolta deduz-se que McCandless se perdeu (ou afastou-se intencionalmente) da Stampede Trail e dirigiu-se para oeste e norte, através dos morros acima do rio Sushana, caçando enquanto avançava.

O avanço era lento. A fim de se alimentar, tinha de dedicar boa parte do dia à busca de caça. Além disso, à medida que o gelo derretia, sua rota transformava-se num pântano coberto de juncos e musgos e amieiros impenetráveis; um pouco tarde, McCandless aprendeu um dos axiomas fundamentais (embora paradoxal) do Norte: a melhor estação para viajar por terra não é o verão, é o inverno.

Confrontado com a óbvia insensatez de sua ambição original, caminhar oitocentos quilômetros até o mar, reformulou seus planos. A 19 de maio, não tendo avançado além do rio Toklat — a menos de 25 quilômetros do ônibus —, deu meia-volta. Uma semana depois, estava novamente no veículo abandonado, aparentemente sem lamentar. Decidira que a área de escoamento do Sushana era bastante selvagem para seus propósitos e que o ônibus 142 de Fairbanks constituiria um belo acampamento-base para o resto do verão.

Ironicamente, a região em torno do ônibus — o trecho coberto de vegetação onde McCandless estava decidido a "perder-se na natureza" — dificilmente se qualifica como região selvagem para os padrões do Alasca. A menos de cinquenta quilômetros para leste encontra-se a importante rodovia George Parks. A apenas 25 quilômetros para o sul, adiante da escarpa da cadeia Exterior, centenas de turistas entram ruidosamente todos os dias no Parque Denali, por uma estrada patrulhada pelo Serviço Nacional de Parques. E ignoradas pelo Viajante Estético, espalhadas dentro de um raio de dez quilômetros do ônibus, encontram-se seis cabanas (embora nenhuma estivesse ocupada no verão de 1992).

Mas, apesar da relativa proximidade da civilização, para todos os fins práticos McCandless estava isolado do resto do mundo. Passou quase quatro meses no mato e durante esse período não encontrou vivalma. No fim, o local foi isolado o suficiente para custar-lhe a vida.

Na última semana de maio, depois de colocar seus poucos pertences no ônibus, McCandless escreveu uma lista de afazeres domésticos numa casca de bétula: coletar e guardar gelo do rio para refrigerar a carne, cobrir as janelas quebradas do veículo com plástico, fazer um estoque de lenha, limpar o acúmulo de cinzas do fogão. E sob o título "LONGO PRAZO" fez uma lista de tarefas mais ambiciosas: mapear a área, improvisar uma banheira, coletar peles e penas para fazer roupa, construir uma ponte sobre um riacho próximo, consertar os utensílios de comer, marcar uma rede de trilhas de caça.

As anotações no diário após seu retorno ao ônibus registram uma abundância de carne de caça. 28 de maio: "Pato Gourmet!". 1º de junho: "Cinco esquilos". 2 de junho: "Porco-espinho, ptármiga, quatro esquilos, ave cinzenta". 3 de junho: "Outro porco-espinho! quatro esquilos, duas aves cinzentas, *ash bird*". 4 de junho: "UM TERCEIRO PORCO-ESPINHO! Esquilo, ave cinzenta". No dia 5 de junho, matou um ganso do Canadá grande como um peru de Natal. Depois, no dia 9, capturou o maior troféu de todos: "ALCE!", registrou no diário. Transbordando de alegria, o orgulhoso caçador tirou uma fotografia de si mesmo ajoelhado sobre o animal morto, com o rifle erguido sobre a cabeça, feições distorcidas num ricto de êxtase e espanto, tal como um porteiro desempregado que fosse a Las Vegas e ganhasse 1 milhão de dólares numa máquina caça-níqueis.

Embora fosse realista o suficiente para saber que a caça era um componente inevitável da vida na natureza, McCandless sempre fora ambivalente em relação a matar animais. Essa ambivalência transformou-se logo em remorso depois que matou o alce. Era um bicho relativamente pequeno, pesando talvez entre 250 e trezentos quilos, mas significava de qualquer forma uma grande quantidade de carne. Acreditando que era moralmente indefensável desperdiçar qualquer parte de um animal que fora morto para servir de alimento, passou seis dias batalhando para preservar o que matara antes que estragasse. Abriu a carcaça sob uma espessa nuvem de moscas e mosquitos, fez um ensopado dos órgãos e depois cavou laboriosamente um buraco na margem do ribeirão pedregoso logo abaixo do ônibus, no qual tentou curar, com fumaça, as imensas fatias de carne rubra.

Os caçadores alasquianos sabem que a maneira mais fácil de preservar carne no mato é cortá-la em fatias finas e secá-las ao ar numa armação improvisada. Mas McCandless, na sua ingenuidade, confiou nos conselhos dos caçadores que consultara em Dakota do Sul, que lhe disseram para defumar a carne, tarefa não muito fácil, dadas as circunstâncias. "Carneação extremamente difícil", escreveu no diário a 10 de junho. "Hordas de moscas e mosquitos. Removo intestinos, fígado, rins, um pulmão, bifes. Levo traseiros e perna para ribeirão."

11 de junho: "Removo coração e outro pulmão. Duas pernas dianteiras e cabeça. Levo resto para ribeirão. Puxo até perto da cova. Tento proteger com defumador".

12 de junho: "Removo metade das costelas e bifes. Só posso trabalhar à noite. Mantenho defumadores funcionando".

13 de junho: "Levo resto das costelas, ombro e pescoço para a cova. Começo a defumar".
14 de junho: "Vermes já! Defumação parece ineficaz. Não sei, parece um desastre. Agora queria que nunca tivesse matado o alce. Uma das maiores tragédias de minha vida".
Àquela altura, desistiu de preservar o grosso da carne e abandonou a carcaça aos lobos. Embora tenha se recriminado severamente por aquele desperdício da vida que tirara, um dia depois parece ter recuperado alguma perspectiva, pois seu diário observa: "A partir de agora aprenderei a aceitar meus erros, por maiores que sejam".
Pouco depois do episódio do alce, McCandless começou a ler o *Walden*, de Thoreau. No capítulo intitulado "Leis superiores", no qual Thoreau rumina sobre a moralidade do comer, McCandless sublinhou "depois de ter pescado e limpado, cozido e comido meus peixes, ficava com a impressão de que não me haviam alimentado substancialmente. Eram insignificantes e desnecessários e custavam mais do que valiam".
"O ALCE", McCandless escreveu na margem. E no mesmo trecho marcou:

A repugnância da comida animal não resulta da experiência, mas decorre do instinto. Parecia-me mais belo viver com humildade, e passar mal em muitos aspectos; e embora nunca tenha chegado a isso, avancei a ponto de deleitar a imaginação. Creio que toda pessoa desejosa de preservar em condições ideais suas faculdades superiores ou poéticas é particularmente inclinada a abster-se de alimento animal, bem como de excessos de qualquer tipo de comida. [...]
É difícil prescrever e preparar uma dieta tão simples e limpa que não venha a ofender a imaginação; mas esta, creio, deve ser alimentada ao mesmo tempo que o corpo; ambos devem sentar-se à mesma mesa. Isso, no entanto, talvez possa ser feito. As frutas, comidas com moderação, não nos envergonham por nosso apetite nem interrompem nossas atividades mais dignas. Mas colocai um tempero extra em vosso prato e ele vos envenenará.

"SIM", escreveu McCandless, e duas páginas depois, "Consciência da comida. Comer e cozinhar com concentração... Alimento sagrado." Nas últimas páginas do livro que lhe servia de diário, declarou:

Renasci. Esta é minha aurora. A vida verdadeira apenas começou.

Viver deliberadamente: atenção consciente ao básico da vida e uma atenção constante ao meio ambiente imediato e o que lhe diz respeito, exemplo → um emprego, uma tarefa, um livro; tudo exigindo concentração eficiente. (Circunstância não tem valor. É como a gente se <u>relaciona</u> com uma situação que tem valor. Todo significado verdadeiro reside na relação pessoal a um fenômeno, o que ele significa para você.)
A Grande Santidade da <u>COMIDA</u>, o Calor Vital.
Positivismo, a Insuperável Alegria da Estética da Vida.
Verdade Absoluta e Honestidade.
Realidade.
Independência.
Finalidade → Estabilidade — Consistência.

À medida que McCandless parou de se censurar pelo desperdício do alce, o contentamento que começara na metade de maio voltou e pareceu continuar pelo início de julho. Então, no meio desse idílio, aconteceu o primeiro de dois contratempos decisivos.

Satisfeito com o que aprendera durante seus dois meses de vida solitária na natureza, McCandless decidiu retornar à civilização. Estava na hora de encerrar sua "última e maior aventura" e voltar ao mundo dos homens e mulheres, onde poderia tomar uma cerveja, conversar sobre filosofia, cativar estranhos com as histórias de sua vida. Parecia ter ido além de sua necessidade de afirmar tão inflexivelmente sua autonomia, sua necessidade de desligar-se dos pais. Talvez estivesse preparado para perdoar as imperfeições deles; talvez estivesse preparado para perdoar até algumas dele mesmo. McCandless parecia pronto, talvez, para ir para casa.

Ou quem sabe, não; só podemos especular sobre o que pretendia fazer depois que saísse do mato. Mas não há dúvidas de que pretendia sair.

Escrevendo num pedaço de casca de bétula, fez uma lista de coisas a fazer antes de partir: "Remendar jeans, fazer a barba! Organizar mochila...". Pouco depois, apoiou sua Minolta num tonel de óleo vazio e tirou uma foto de si mesmo segurando um barbeador amarelo descartável e sorrindo para a câmera, barbeado, com novos remendos tirados de um cobertor do exército costurados nos joelhos de seus jeans imundos. Parece saudável, mas alarmantemente macilento. Seu rosto já está encovado. Os tendões de seu pescoço destacam-se como cabos retesados.

A 2 de julho, terminou de ler "Felicidade familiar", de Tolstoi, tendo marcado vários trechos que o emocionaram:

> Ele tinha razão ao dizer que a única felicidade certa na vida é viver para os outros...
>
> Passei por muita coisa na vida e agora penso que encontrei o que é necessário para a felicidade. Uma vida tranquila e isolada no campo, com a possibilidade de ser útil à gente para quem é fácil fazer o bem e que não está acostumada que o façam; depois trabalhar em algo que se espera tenha alguma utilidade; depois descanso, natureza, livros, música, amor pelo próximo — essa é a minha ideia de felicidade. E depois, no topo de tudo isso, você como companheira, e filhos talvez — o que mais pode o coração de um homem desejar?

Então, no dia 3 de julho, pôs a mochila nos ombros e começou a caminhada de trinta quilômetros até a estrada boa. Dois dias depois, na metade do caminho, chegou sob chuva forte às barragens dos castores que bloqueavam o acesso à margem ocidental do rio Teklanika. Em abril, elas estavam congeladas e não tinham sido obstáculo. Agora, ele deve ter se alarmado ao ver um lago de quatro hectares cobrindo a trilha. Para evitar de vadear a água lodosa com água na altura do peito, subiu um morro escarpado, contornou o lago pelo norte e desceu para o rio na foz da garganta.

Quando atravessara o rio pela primeira vez, 67 dias antes, sob as temperaturas congeladas de abril, encontrara um arroio gelado, mas manso, que dava nos joelhos. A 5 de julho, no entanto, o Teklanika estava com força plena, engrossado pela chuva e pela neve derretida das geleiras do alto da cadeia do Alasca, correndo gelado e rápido.

Se pudesse alcançar a outra margem, o resto da caminhada até a rodovia seria fácil, mas para chegar lá teria de transpor um canal de cerca de trinta metros de largura. A água, opaca com sedimentos glaciais e apenas alguns graus mais quente do que o gelo que fora até havia pouco, tinha a cor de concreto molhado. Funda demais para ser vadeada, troava como um trem de carga. A correnteza poderosa o derrubaria num instante e o carregaria para longe.

McCandless nadava mal e havia confessado para várias pessoas que tinha, de fato, medo de água. Tentar atravessar a nado a torrente fria ou mesmo remar com alguma jangada improvisada parecia arriscado demais. Logo abaixo de onde a trilha encontrava o rio, o Teklanika transformava-se num caos de águas espumantes ao acelerar para passar pela garganta estreita. Muito antes de conseguir nadar ou remar para o outro lado, ele seria jogado nessas corredeiras e se afogaria. Em seu diário, escreveu: "Desastre... Detido pela chuva. Rio parece impossível. Sozinho, assustado". Concluiu, corretamente, que seria com toda probabilidade arrastado para a morte se tentasse cruzar o Teklanika naquele ponto, naquelas condições. Seria suicídio; simplesmente não era uma opção.

Se McCandless tivesse caminhado pouco menos de dois quilômetros rio acima, teria descoberto que o rio se alargava num labirinto de canais trançados. Se explorasse com cuidado, por tentativa e erro poderia encontrar um lugar onde essas tranças davam passagem com água na altura do peito. A correnteza forte iria provavelmente derrubá-lo, mas nadando como cachorrinho e pulando no fundo enquanto era carregado pela água, ele poderia ter atravessado antes de ser levado para a garganta ou de sucumbir à hipotermia.

Mas ainda assim seria uma tentativa muito arriscada e, àquela altura, McCandless não tinha nenhum motivo para assumir tal risco. Ele vinha se defendendo sozinho muito bem no mato. Compreendeu provavelmente que, se fosse paciente e esperasse, o rio acabaria por baixar para um nível que pudesse ser vadeado com segurança. Portanto, depois de avaliar suas opções, decidiu pelo curso mais prudente. Deu meia-volta e começou a retornar ao ônibus, para o coração volúvel do mato.

179

17
A STAMPEDE TRAIL

A natureza ali era algo selvagem e terrível, embora belo. Eu olhava maravilhado para o solo por onde passava, para ver o que os Poderes tinham feito ali, a forma, o feitio e o material de sua obra. Essa era a Terra da qual tínhamos ouvido falar, feita do Caos e da Noite Antiga. Ali não havia jardim humano, mas o globo indomado. Não era prado, nem pastagem, nem campina, nem floresta, nem planície, nem terra fértil, nem deserto. Era a superfície fresca e natural do planeta Terra, como foi feita para sempre — para ser a moradia do homem, dizemos —, assim a Natureza a fez e o homem pode usá-la, se conseguir. O homem não deve ser associado a ela. Era a Matéria, vasta, terrível — não sua Mãe Terra de que ouvimos falar, não para que ele a palmilhe, ou para ser enterrado nela — não, seria familiar demais até deixar seus ossos jazer ali —, o lar, isso, da Necessidade e do Destino. Sentia-se claramente a presença de uma força não inclinada a ser boa para o homem. Era um lugar de paganismo e ritos supersticiosos, para ser habitado por homens mais próximos das rochas e dos animais selvagens do que nós. [...] O que é ser admitido num museu, ver uma miríade de coisas particulares, comparado com ser apresentado à superfície de alguma estrela, a alguma matéria dura em sua casa! Eu admiro meu corpo, essa matéria à qual estou preso tornou-se tão estranha para mim. Não temo espíritos, fantasmas, dos quais sou um — isso meu corpo pode —, mas temo corpos, tenho medo de encontrá-los. O que é esse Titã que me possui? Conversa de mistérios! Pense em nossa vida na natureza — diariamente apresentados à matéria, entrando em contato com ela — rochas, árvores, vento em nossas faces!

A terra sólida! O mundo verdadeiro! O senso comum! Contato! Contato! Quem somos nós? Onde estamos?

HENRY DAVID THOREAU
"*KTAADN*"

Um ano e uma semana depois que Chris McCandless decidiu não tentar atravessar o rio Teklanika, estou na margem oposta — o lado leste, o lado da rodovia — e olho para a água espumante. Eu também espero cruzar o rio. Quero visitar o ônibus. Quero ver onde McCandless morreu, para melhor compreender o porquê.

É uma tarde quente e úmida e o rio está lívido com o escoamento da neve derretida que ainda cobre as geleiras nas elevações mais altas da cadeia do Alasca. Hoje, a água parece muito mais baixa do que nas fotografias que McCandless tirou doze meses atrás, mas mesmo assim é impensável vadear o rio aqui. A água é funda demais, fria demais, rápida demais. Enquanto olho para o Teklanika, posso ouvir pedras do tamanho de bolas de boliche rolando no fundo, sendo levadas pela poderosa corrente. Eu seria carregado a poucos metros da margem para a garganta logo abaixo, que estreita o rio numa agitação de corredeiras que continua sem interrupção pelos próximos oito quilômetros.

Porém, ao contrário de McCandless, tenho em minha mochila um mapa topográfico de escala 1:63.360 (isto é, um mapa no qual uma polegada representa uma milha). Extremamente detalhado, ele indica que oitocentos metros rio abaixo, na boca do cânion, há uma estação medidora construída pelo Levantamento Geológico dos EUA. Também diferentemente de McCandless, estou aqui com três companheiros: os alasquianos Roman Dial e Dan Solie e um amigo de Roman da Califórnia, Andrew Liske. A estação não pode ser vista de onde a Stampede Trail encontra o rio, mas, depois de vinte minutos abrindo caminho por uma confusão de bétulas anãs, Roman grita: "Estou vendo! Ali! Cem metros adiante".

Chegamos para encontrar um cabo de aço de uma polegada de espessura atravessando a garganta, esticado entre uma torre de quatro metros e meio do nosso lado do rio e um afloramento na margem oposta, a uma distância de 120 metros. O cabo foi instalado em 1970 para mapear as flutuações sazonais do Teklanika; os hidrólogos atravessavam o rio de um lado para o outro usando uma cesta de alumínio presa ao cabo por roldanas. Da cesta, jogavam uma linha de chumbo com contrapeso para medir a profundidade do rio. A estação foi desativada há nove anos por falta de fundos, quando então a cesta deveria ter sido presa à torre do nosso lado — o lado da rodovia — do rio. Mas, quando subimos ao topo da torre, a cesta não estava lá. Olhando para o outro lado do rio — o do ônibus —, pude vê-la na margem distante do cânion.

Acontece que alguns caçadores locais tinham cortado a corrente e atravessado a cesta, amarrando-a do outro lado para tornar mais difícil aos forasteiros cruzar o Teklanika e invadir seu terreno. Quando McCandless tentou sair do mato há um ano, a cesta estava no mesmo lugar de agora. Se soubesse disso, a travessia em segurança do Teklanika teria sido simples. No entanto, como não tinha mapa topográfico, não teve como perceber que a salvação estava tão próxima.

Andy Horowitz, um dos amigos de McCandless na equipe de *cross-country* da Woodson High, brincara que Chris "nasceu no século errado. Ele procurava por mais aventura e liberdade do que a sociedade de hoje dá às pessoas". Ao ir para o Alasca, McCandless ansiava por perambular por terra não mapeada, por encontrar um ponto em branco no mapa. Porém, em 1992 não havia mais pontos em branco no mapa — nem no Alasca, nem em qualquer outro lugar. Mas Chris, com sua lógica idiossincrática, descobriu uma solução elegante para esse problema: simplesmente se desfez do mapa. Em sua mente, com isso a *terra* se tornaria a partir de então *incognita*, pelo menos ali.

Por não ter um bom mapa, o cabo que atravessava o rio também se tornou incógnito. Estudando o fluxo violento do Teklanika, McCandless concluiu então, erroneamente, que era impossível atingir a margem oriental. Pensando que essa rota de fuga tinha sido cortada, retornou ao ônibus, uma decisão razoável, dada sua ignorância topográfica. Mas por que então ficou no ônibus e morreu de inanição? Por que, quando chegou agosto, ele não tentou outra vez cruzar o Teklanika, quando estaria bem mais baixo, quando seria seguro vadeá-lo?

Intrigado com essas perguntas, e perturbado, espero que o casco enferrujado do ônibus 142 de Fairbanks revele algumas pistas. Mas para chegar ao ônibus eu também preciso atravessar o rio, e a cesta de alumínio ainda está presa na margem oposta.

No topo da torre, prendo-me ao cabo com apetrechos de escalar rocha e começo a atravessar, mão sobre mão, executando o que os alpinistas chamam de travessia tirolesa. Isso se revela uma proposta mais extenuante do que eu previra. Vinte minutos depois de partir, finalmente subo no afloramento do outro lado, totalmente esgotado, tão exausto que mal posso levantar os braços. Depois de recuperar o fôlego, subo na cesta — um carro retangular de alumínio de sessenta centímetros de largura por um metro e vinte de comprimento —, desatrelo a corrente e volto para o lado oriental do cânion a fim de buscar meus companheiros.

O cabo inclina-se bastante para o meio do rio; quando solto o carro, ele acelera rapidamente com o próprio peso, rolando cada vez mais rápido pelo fio de aço, em busca do ponto mais baixo. É uma viagem emocionante. Deslizando sobre as corredeiras a trinta ou cinquenta quilômetros por hora, ouço uma tosse involuntária de medo escapar de minha garganta antes de me dar conta de que não estou em perigo e recuperar a compostura.

Depois de nós quatro estarmos na margem ocidental da garganta, trinta minutos abrindo caminho no mato nos levam de volta à Stampede Trail. Os quinze quilômetros do caminho que já percorremos — o trecho entre nossos veículos estacionados e o rio — foram suaves, bem marcados e relativamente bem trilhados. Mas os quinze pela frente têm um caráter totalmente diferente.

Devido ao fato de pouca gente cruzar o Teklanika nos meses de primavera e verão, boa parte da rota fica pouco marcada e é tomada pelo mato. Imediatamente após o rio, a trilha faz uma curva para sudoeste, subindo o leito de um arroio de águas rápidas. E como os castores construíram uma rede de diques meticulosos nesse arroio a rota leva diretamente para uma área inundada de quatro hectares. Os lagos dos castores nunca são mais profundos que a altura do peito, mas a água é fria e, enquanto chapinhamos, nossos pés remexem a imundície do fundo, levantando um miasma fedorento de lodo em decomposição.

A trilha sobe um morro depois do último lago e então retoma o leito pedregoso e cheio de curvas do riacho, antes de subir de novo para uma selva de vegetação enfezada. A caminhada nunca fica difícil demais, mas o emaranhado de amieiros de quatro metros e meio de altura em ambos os lados é sombrio, claustrofóbico, opressivo. Nuvens de mosquitos materializam-se no calor pegajoso. De tempos em tempos, o zumbido agudo dos insetos é suplantado pelo estrondo de trovões distantes, troando sobre a taiga a partir de uma parede de nuvens que se elevam, negras, no horizonte.

Moitas de arbustos espinhosos deixam lacerações sangrentas em minhas canelas. Pilhas de fezes de urso pardo na trilha e, a certa altura, pegadas frescas deles — cada uma do tamanho de uma bota tamanho 44 — deixam-me de sobreaviso. Nenhum de nós leva arma. "Ei, urso!", grito no matagal, esperando evitar um encontro de surpresa. "Ei, urso! Só estamos passando! Não precisa ficar irritado!"

Estive no Alasca umas vinte vezes nos últimos vinte anos, para escalar montanhas, trabalhar de carpinteiro e na pesca comercial do salmão, como jornalista, para perambular ou bisbilhotar. Passei muito tempo sozinho na natureza no curso de minhas muitas visitas e, em geral, isso me deu prazer. Com efeito, eu pretendia ir até o ônibus sozinho e, quando meu amigo Roman se convidou, com mais dois, para ir junto, fiquei aborrecido. Agora, no entanto, estou agradecido pela companhia deles. Há algo inquietante nessa paisagem gótica. Parece mais maligna que outros cantos mais remotos do estado que conheço — as encostas cobertas pela tundra da cadeia Brooks, as florestas cobertas de nuvens do arquipélago de Alexander, até mesmo as alturas congeladas e varridas por ventanias do maciço do Denali. Estou contente à beça de não estar sozinho aqui.

Às nove da noite, fazemos uma curva na trilha e lá está o ônibus, numa pequena clareira. Feixes cor-de-rosa de ervas encobrem as rodas do veículo, crescendo mais altas que os eixos. O ônibus 142 de Fairbanks está estacionado ao lado de um bosque de choupos, a dez metros da borda de um penhasco modesto, sobre a ponta de um terreno alto que dá para a confluência do rio Sushana com um afluente menor. É um local agradável, aberto e cheio de luz. É fácil perceber por que McCandless decidiu fazer dele seu acampamento-base.

Paramos a uma certa distância do ônibus e ficamos olhando para ele em silêncio. Sua pintura é gredosa e está descascando. Faltam várias janelas. Centenas de ossos delicados sujam a clareira em torno do veículo, espalhados entre milhares de espinhos de porco-espinho: os restos das caças pequenas que compunham o grosso da dieta de McCandless. E no perímetro desse campo de ossos encontra-se um esqueleto muito maior: o do alce que ele matou e depois se torturou por isso.

Quando questionei Gordon Samel e Ken Thompson, logo depois que descobriram o corpo de McCandless, ambos insistiram, inflexível e inequivocamente, em que o esqueleto grande era de caribu e zombaram da ignorância do novato, que achara que tinha matado um alce. "Os lobos espalharam um pouco os ossos, mas era óbvio que o animal era um caribu. O menino não sabia que diabos estava fazendo aqui", Thompson contou-me.

"Era definitivamente um caribu", acrescentara Samel, com desdém. "Quando li no jornal que ele achava que tinha matado um alce, na hora me toquei que ele não era do Alasca. Há uma grande diferença entre um alce e um caribu. Uma grande diferença mesmo. Você precisa ser bem estúpido para não conseguir diferenciá-los."

Confiando em Samel e Thompson, veteranos caçadores do Alasca que tinham matado muitos alces e caribus, registrei devidamente o erro de McCandless no artigo que escrevi para *Outside*, confirmando assim a opinião de incontáveis leitores de que o rapaz estava ridiculamente mal preparado, que não tinha nada que se enfiar no mato, muito menos na grande região selvagem da Última Fronteira. Um correspondente do Alasca observou que McCandless não só morrera porque era estúpido como o "alcance de sua pretensa aventura era tão pequeno que beirava o patético — ocupando um ônibus abandonado a poucos quilômetros de Healy, cozinhando gaios e esquilos, tomando um caribu por alce (bem difícil de acontecer). [...] Há só uma palavra para o sujeito: incompetente".

Entre as cartas desancando McCandless, quase todas mencionavam seu erro de identificação do caribu como uma prova de que ele não sabia a primeira coisa necessária para sobreviver no mato. O que as cartas iradas não sabiam, entretanto, é que o ungulado que McCandless matou era exatamente o que ele disse que era. Ao contrário do que escrevi em *Outside*, o animal era um alce, como um exame detalhado dos restos do bicho indicam agora e várias fotografias tiradas por McCandless confirmam acima de qualquer dúvida. O garoto cometeu alguns erros na Stampede Trail, mas confundir caribu com alce não foi um deles.

Passando pelos ossos do alce, aproximo-me do veículo e entro por uma saída de emergência dos fundos. Logo depois da porta está o colchão rasgado, manchado e mofado no qual McCandless expirou. Por algum motivo, fico surpreso ao encontrar uma coleção de seus pertences espalhados sobre o colchão: um cantil de plástico verde; uma pequena embalagem de pastilhas de purificação de água; um cilindro usado de Chap Stick; uma calça insulada do tipo vendido em loja de ponta de estoque de artigos militares; um exemplar em brochura do best-seller *Ó Jerusalem!*, com a lombada detonada; luvas de lã; uma garrafa de repelente de insetos Muskol; uma caixa cheia de fósforos; e um par de botas de borracha marrons com o nome Gallien escrito nas pernas em tinta preta desbotada.

Apesar da falta de vidros nas janelas, o ar dentro do cavernoso veículo está viciado e azedo. "Puxa, tem cheiro de ave morta aqui dentro", observa Roman. No momento seguinte topo com a fonte do odor: um saco plástico de lixo cheio de penas, penugens e asas cortadas de vários pássaros. Parece que McCandless as estava guardando para insular suas roupas, ou talvez fazer um travesseiro de penas.

Perto da frente do ônibus, as panelas e pratos de McCandless estão empilhados numa mesa improvisada de compensado, ao lado de um lampião de querosene. Uma longa bainha de couro tem as iniciais R. F. gravadas com esmero: é a bainha do machete que Ronald Franz deu a McCandless quando deixou Salton City.

A escova de dentes azul do garoto descansa ao lado de um tubo meio vazio de Colgate, um estojo de fio dental e a coroa de ouro do molar que, segundo seu diário, caiu na terceira semana de sua estada. A alguns centímetros de distância encontra-se um crânio do tamanho de uma melancia, com grossos caninos de marfim projetando-se de seus maxilares descorados. É o crânio de um urso, morto por alguém que visitou o ônibus anos antes de McCandless. Uma mensagem riscada pela mão caprichosa de Chris enquadra um furo de bala: SALVE O URSO

FANTASMA, A BESTA DENTRO DE TODOS NÓS. ALEXANDER SUPERTRAMP. MAIO DE 1992.
Olhando para cima, noto que as paredes de metal do veículo estão cobertas de grafites deixados por numerosos visitantes ao longo dos anos. Roman aponta para uma mensagem que escreveu quando ficou no ônibus, há quatro anos, durante uma travessia da cadeia do Alasca: COMEDORES DE MACARRÃO A CAMINHO DO LAGO CLARK 8/89. Tal como Roman, a maioria das pessoas rabiscou pouco mais que seus nomes e uma data. O grafite mais longo e eloquente é um dos vários escritos por McCandless, a proclamação de alegria que começa com um cumprimento a sua canção favorita de Roger Miller: DOIS ANOS ELE CAMINHA PELA TERRA. SEM TELEFONE, SEM PISCINA, SEM ANIMAL DE ESTIMAÇÃO, SEM CIGARROS. LIBERDADE DEFINITIVA. UM EXTREMISTA. UM VIAJANTE ESTÉTICO CUJO LAR É A ESTRADA...

Logo abaixo desse manifesto está o fogão, fabricado a partir de um tonel de óleo enferrujado. Um pedaço de três metros e meio de tronco de abeto está enfiado em sua porta aberta e pendurados no tronco estão duas Levi's rasgadas, como se estivessem a secar. Um dos jeans — cintura 30, comprimento 32 — está remendado grosseiramente com fita-crepe cor de prata; a outra calça foi remendada com mais cuidado, com pedaços de uma colcha velha costurados sobre buracos nos joelhos e fundilhos. Este último jeans tem também um cinto feito com uma tira de cobertor. McCandless, ocorre-me então, deve ter sido forçado a fazer o cinto depois de emagrecer tanto que as calças não ficavam mais no lugar.

Sentado diante do fogão para meditar sobre esse quadro fantasmagórico, encontro indícios da presença de McCandless onde quer que ponha os olhos. Aqui está seu cortador de unhas, ali, sua barraca de náilon verde esticada onde falta uma folha na porta da frente. Suas botas da K-Mart estão dispostas caprichosamente sob o fogão, como se ele fosse voltar em breve para amarrá-las e cair na estrada. Sinto-me desconfortável, como se estivesse invadindo, um *voyeur* que tivesse se infiltrado no quarto de McCandless enquanto ele estava temporariamente ausente. Sentindo uma súbita náusea, saio aos trancos e barrancos do ônibus para caminhar ao longo do rio e respirar um pouco de ar fresco.

Uma hora depois, acendemos uma fogueira enquanto escurece. As chuvas fortes, já passadas, tinham limpado a atmosfera e morros distantes destacam-se nitidamente contra a luz. Uma faixa de céu incandescente flameja sob a base de nuvens no horizonte sudoeste. Roman desembrulha alguns bifes de um alce morto na cadeia do Alasca em setembro passado e deita-os sobre uma grelha escurecida, a grelha que McCandless utilizou para cozinhar sua caça. A gordura do animal salta e chia sobre o carvão. Comendo a carne cartilaginosa com as mãos, espantamos os mosquitos e conversamos sobre aquele rapaz peculiar que nenhum de nós conheceu, tentando entender como ele fracassou, compreender por que algumas pessoas parecem desprezá-lo com tanta intensidade por ter morrido aqui.

 McCandless veio para essa região com provisões insuficientes de propósito e não tinha certas peças de equipamento consideradas essenciais por muitos alasquianos: um rifle de calibre maior, mapa, bússola e um machado. Isso foi considerado prova não só da estupidez mas do pecado, ainda maior, da arrogância. Alguns críticos chegaram mesmo a fazer paralelos entre McCandless e a figura trágica mais infame do Ártico, sir John Franklin, um oficial naval britânico do século XIX cuja presunção e soberba contribuíram para cerca de 140 mortes, inclusive a própria.

 Em 1819, o almirantado designou Franklin para liderar uma expedição às regiões selvagens do noroeste do Canadá. Havia dois anos fora da Inglaterra, o inverno surpreendeu seu pequeno grupo enquanto se arrastava por uma extensão de tundra tão vasta e vazia que a batizaram de Terra Estéril, nome pelo qual ainda é conhecida. A comida acabou. A caça era escassa, forçando Franklin e seus homens a subsistir à base de líquenes raspados das rochas, couro de veado chamuscado, ossos de animais mortos, suas próprias botas de couro e, por fim, a carne dos companheiros. Antes do fim da provação, pelo menos dois homens tinham sido mortos e comidos, o suspeito de assassinato fora sumariamente executado e outros oito estavam mortos de doenças e inanição. O próprio Franklin estava a um ou dois dias de expirar quando ele e os outros sobreviventes foram resgatados por um bando de *métis* [mestiços de branco e índio].

 Franklin, um afável cavalheiro vitoriano, era considerado um desastrado infantil, obstinado e ignorante, com os ideais ingênuos de uma criança e certo desprezo por adquirir habilidades rústicas. Estava lamentavelmente despreparado para liderar uma expedição ao Ártico e, ao voltar à Inglaterra, ficou conhecido como o Homem que Comeu seus Sapatos — mas o apelido era murmurado mais com admiração do que com zombaria. Foi saudado como herói nacional, promovido a capitão pelo almirantado, muito bem pago para escrever um relato de sua desventura e, em 1825, ganhou o comando de uma segunda expedição ártica.

Essa viagem foi relativamente tranquila, mas em 1845, esperando descobrir finalmente a fabulosa Passagem do Noroeste, Franklin cometeu o erro de explorar o Ártico pela terceira vez. Ele e 128 homens sob seu comando nunca mais deram notícias. Indícios desenterrados pelas quarenta e tantas expedições enviadas para procurar por eles acabaram estabelecendo que todos tinham morrido, vítimas de escorbuto, inanição e sofrimentos inenarráveis.

Quando McCandless apareceu morto, foi comparado a Franklin não apenas porque ambos morreram de inanição, mas também porque ambos foram vistos como desprovidos da humildade necessária; ambos foram considerados pouco respeitosos para com a terra. Um século depois da morte de Franklin, o eminente explorador Vilhjalmur Stefansson destacou que o explorador inglês nunca se preocupara em aprender as habilidades de sobrevivência praticadas pelos índios e esquimós — povos que conseguiram florescer "por gerações, criando seus filhos e cuidando de seus idosos" na mesma região árida que matou Franklin. (Stefansson esqueceu-se convenientemente de mencionar que muitos, muitos índios e esquimós também morreram de inanição nas latitudes setentrionais.)

Porém, a arrogância de McCandless não era da mesma estirpe da de Franklin. Este considerava a natureza um antagonista que se submeteria inevitavelmente à força, à boa educação e à disciplina vitoriana. Em vez de viver em harmonia com a terra, de utilizá-la para a subsistência como os nativos, ele tentou isolar-se do ambiente setentrional com ferramentas e tradições militares pouco adequadas. Por sua vez, McCandless foi longe demais na direção oposta. Tentou viver totalmente dos frutos da terra — e tentou fazer isso sem se preocupar em dominar previamente todo o repertório de habilidades essenciais.

Contudo, provavelmente se engana quem critica McCandless por estar mal preparado. Ele era novato e superestimou sua capacidade de resistência, mas teve capacidade suficiente para aguentar dezesseis semanas vivendo de suas habilidades e menos de cinco quilos de arroz. E estava plenamente consciente, quando entrou no mato, de que se concedera uma margem de erro perigosamente pequena. Sabia com precisão o que estava em jogo.

Não é nada incomum para um homem jovem ser atraído para uma atividade considerada imprudente pelos mais velhos; o comportamento de risco é um rito de passagem em nossa cultura, não menos do que na maioria das outras. O perigo sempre exerceu um certo fascínio. É em larga medida por isso que muitos adolescentes dirigem depressa demais, bebem demais e tomam drogas demais, e que sempre foi fácil para as nações recrutar jovens para a guerra. Pode-se argumentar que o arrojo da juventude é, na verdade, evolucionariamente adaptativo, um comportamento codificado em nossos genes. McCandless, a sua maneira, apenas levou a assunção de riscos ao seu extremo lógico.

Ele tinha necessidade de se testar em questões, como gostava de dizer, "que importavam". Possuía grandes — alguns diriam grandiosas —ambições espirituais. Conforme o absolutismo moral que caracteriza as crenças de McCandless, um desafio em que o sucesso está garantido não é desafio nenhum.

Não são apenas os jovens, evidentemente, que são atraídos para empreendimentos árduos. John Muir é lembrado principalmente como um conservacionista sensato e fundador do Sierra Club, mas era também um aventureiro ousado, um destemido escalador de picos, geleiras e cachoeiras cujo ensaio mais conhecido inclui um relato fascinante de sua quase queda para a morte, em 1872, quando subia o monte Ritter, na Califórnia. Em outro ensaio, Muir descreve em termos extasiados como suportou um vendaval na Sierra, por opção, nos galhos mais altos de uma conífera de trinta metros de altura:

> Nunca antes senti uma alegria de movimento tão nobre. As pontas delgadas oscilavam completamente e zuniam na torrente apaixonada, curvando-se e rodopiando para a frente e para trás, sem parar, traçando combinações indescritíveis de curvas verticais e horizontais, enquanto eu me

agarrava com músculos firmemente abraçados, como uma triste-pia em um junco.

Tinha 36 anos nessa época. É de suspeitar que Muir não teria achado McCandless terrivelmente esquisito ou incompreensível.

Até mesmo o sóbrio e efeminado Thoreau, que numa declaração famosa disse que era suficiente ter "viajado bastante em Concord", sentiu-se compelido a visitar as regiões selvagens mais assustadoras do Maine e escalar o monte Katahdin. Sua subida da encosta do pico "selvagem e terrível, embora lindo" chocou-o e apavorou-o, mas também induziu-o a uma espécie atordoante de admiração. A inquietude que sentiu no alto do Katahdin inspirou alguns de seus escritos mais poderosos e matizou profundamente sua maneira de pensar sobre a terra em seu estado rude, não domesticado.

Diferentemente de Muir e Thoreau, McCandless foi para longe da civilização não para pensar sobre a natureza ou o mundo em geral, mas para explorar o terreno interior de sua alma. No entanto, ele logo descobriu o que Muir e Thoreau já sabiam: uma estada demorada na natureza selvagem dirige inevitavelmente nossa atenção para fora tanto quanto para dentro, e é impossível viver da terra sem desenvolver, ao mesmo tempo, uma compreensão sutil dela e de tudo que ela sustenta e um forte laço emocional com ela.

As anotações de McCandless no diário contêm poucas abstrações sobre a natureza e, a propósito, poucas elucubrações de qualquer tipo. Há menções escassas à paisagem circundante. Com efeito, como observou o amigo de Roman, Andrew Liske, depois de ler uma cópia do diário: "Essas anotações são quase totalmente sobre o que ele comia. Dificilmente escreveu sobre outra coisa que não fosse comida".

Andrew não está exagerando: o diário é pouco mais que uma contagem de plantas colhidas e animais mortos. Porém, seria provavelmente um erro concluir que McCandless deixou de apreciar a beleza da região, que não ficou emocionado com o poder da paisagem. Como observou o ecologista cultural Paul Shepard:

> O beduíno nômade não idolatra o cenário, não pinta paisagens nem compila uma história natural não utilitária... Sua vida está tão profundamente em união com a natureza que não há lugar para abstração ou estética nem para uma "filosofia natural" que possa ser separada do resto de sua

191

vida. [...] A natureza e sua relação com ela são assunto mortalmente sério, prescrito por convenção, mistério e perigo. Seu lazer pessoal está voltado para longe do divertimento ocioso ou da alteração desconexa dos processos da natureza. Mas é parte essencial de sua vida a consciência daquela presença, do terreno, do tempo imprevisível, da estreita margem que o sustenta.

Coisa muito parecida poderia ser dita de McCandless durante os meses que passou ao lado do rio Sushana.

Seria fácil estereotipar Christopher McCandless como mais um garoto com sensibilidade demais, um jovem maluco que lia livros em demasia e não tinha um mínimo de bom senso. Mas o estereótipo não se encaixa. McCandless não era um indolente incapaz, perdido e confuso, torturado por desespero existencial. Ao contrário: sua vida estava cheia de significados e propósitos. Mas o significado que ele tirava da existência estava longe do caminho confortável: ele não confiava no valor das coisas que vêm facilmente. Exigia muito de si mesmo — mais, no final, do que podia dar.

Tentando explicar o comportamento heterodoxo de McCandless algumas pessoas deram ênfase ao fato de que, tal como John Waterman, era de estatura baixa e talvez tivesse "complexo de baixinho", uma insegurança fundamental que o levou a provar sua masculinidade por meio de desafios físicos extremos. Outros afirmaram que um conflito edípico não resolvido estava na raiz de sua odisseia fatal. Embora possa haver alguma verdade em ambas as hipóteses, esse tipo de psicanálise póstuma de almanaque é uma iniciativa duvidosa e altamente especulativa que degrada e banaliza inevitavelmente o analisando ausente. Não está claro o que se ganha reduzindo a estranha busca espiritual de McCandless a uma lista de distúrbios psicopatológicos.

Roman, Andrew e eu fitamos as brasas e conversamos sobre McCandless noite adentro. Roman, 32 anos, inquisitivo e sem papas na língua, tem doutorado em biologia de Stanford e uma desconfiança permanente da sabedoria convencional. Como McCandless, passou a adolescência nos subúrbios da capital do país e acha-os totalmente sufocantes. Veio a primeira vez ao Alasca para visitar três tios que mineravam carvão em Usibelli, uma grande mina superficial a poucos quilômetros de Healy, e apaixonou-se por tudo relacionado ao Norte.

Nos anos seguintes, retornou várias vezes ao 41º estado. Em 1977, depois de formar-se como primeiro de sua classe no colégio, mudou-se para Fairbanks e fez do Alasca sua residência permanente.

Atualmente, Roman é professor da Universidade do Pacífico Alasca, em Anchorage, e goza de renome estadual por causa de uma longa e atrevida série de escapadas aos rincões do estado. Entre outros feitos, ele atravessou os 1600 quilômetros da cadeia Brooks a pé e a remo, esquiou quatrocentos quilômetros pelo Refúgio Nacional Ártico de Vida Selvagem, sob uma temperatura de inverno de menos vinte graus, cruzou a crista de mais de mil quilômetros da cadeia do Alasca e foi o primeiro a escalar mais de trinta picos e rochedos do Norte. E Roman não vê muita diferença entre suas respeitadas façanhas e a aventura de McCandless, exceto que o garoto teve o infortúnio de perecer.

Lembro a insensatez de McCandless e os erros tolos que cometeu — as duas ou três mancadas facilmente evitáveis que acabaram custando-lhe a vida. "Certo, ele se ferrou", responde Roman, "mas admiro o que ele estava tentando fazer. Viver completamente da terra assim, mês após mês, é incrivelmente difícil. Nunca fiz isso. E aposto que muito poucos, se é que algum, dos que chamam McCandless de incompetente jamais fizeram isso, nem por mais de uma ou duas semanas. Viver no mato por um período extenso, subsistindo apenas com o que você caça e colhe — a maioria das pessoas não tem ideia de como é difícil. E McCandless quase conseguiu.

"Acho que não consigo deixar de me identificar com o cara", concede Roman enquanto mexe nas brasas com uma vara. "Odeio admitir isso, mas há poucos anos eu poderia facilmente estar no mesmo tipo de situação. Quando comecei a vir ao Alasca, acho que era muito parecido com McCandless: verde igual, a mesma ansiedade. E tenho certeza de que existem muitos outros alasquianos que também tinham muito em comum com ele quando chegaram aqui pela primeira vez, inclusive muitos de seus críticos. Vai ver que é por isso que são tão duros com ele. Talvez McCandless os faça lembrar um pouco demais de seus antigos eus."

A observação de Roman sublinha como é difícil para nós, mergulhados nas preocupações rotineiras da vida adulta, relembrar quão vigorosamente fomos fustigados outrora pelas paixões e desejos da juventude. Como refletia o pai de Everett Ruess anos depois que seu filho de vinte anos desapareceu no deserto: "As pessoas mais velhas não percebem os voos da alma do adolescente. Acho que todos entendemos muito mal Everett".

Roman, Andrew e eu ficamos acordados até bem depois da meia-noite, tentando descobrir um sentido para a vida e morte de McCandless, mas sua essência continua escorregadia, vaga, esquiva. Aos poucos, a conversa se esfiapa. Quando me afasto do fogo para achar um local para jogar meu saco de dormir, as primeiras manchas do amanhecer já estão clareando a borda do céu do noroeste. Embora os mosquitos estejam inclementes e o ônibus, sem dúvida, ofereça um pouco de abrigo, decido não fazer a cama dentro do 142 Fairbanks. Nem os outros, observo antes de afundar num sono sem sonhos.

18
A STAMPEDE TRAIL

É quase impossível para o homem moderno imaginar como é viver da caça. A vida do caçador é a de uma dura viagem por terra que parece não ter fim. [...] Uma vida de preocupações frequentes de que a próxima intercepção possa não funcionar, de que a armadilha ou o ataque fracassará, ou de que as manadas não aparecerão nesta estação. Sobretudo, a vida do caçador carrega com ela a ameaça de privação e morte por inanição.

JOHN M. CAMPBELL
O VERÃO FAMINTO

Mas o que é história? São os séculos de explorações sistemáticas do enigma morte, tendo em vista superá-lo. É por isso que as pessoas descobrem o infinito matemático e as ondas eletromagnéticas, é por isso que escrevem sinfonias. Ora, não se pode avançar nessa direção sem uma certa fé. Não se podem fazer tais descobertas sem equipamento espiritual. E os elementos básicos desse equipamento estão nos Evangelhos. O que são eles? Para começar, <u>ama teu próximo</u>, que é a forma suprema de energia vital. Depois que ela enche o coração do homem, tem de transbordar e consumir-se. E, depois, os dois ideais básicos do homem moderno, sem os quais ele é impensável: a ideia de <u>personalidade livre</u> e a de <u>vida como sacrifício</u>.

BORIS PASTERNAK
DOUTOR JIVAGO
TRECHO MARCADO EM UM DOS LIVROS ENCONTRADOS COM OS
RESTOS DE CHRIS MCCANDLESS; SUBLINHAS DE MCCANDLESS

Depois que sua tentativa de partir foi impedida pelo Teklanika, McCandless voltou ao ônibus a 8 de julho. É impossível saber o que se passava em sua cabeça àquela altura, pois seu diário não revela nada. É bem possível que não estivesse preocupado com o fato de sua rota de saída estar obstruída; com efeito, naquele momento, tinha poucos motivos com que se preocupar: era o auge do verão, a terra estava rica de vida vegetal e animal e seu suprimento de comida era adequado. Ele provavelmente presumiu que, se esperasse até agosto, o Teklanika teria baixado o suficiente para ser atravessado.

Instalado de novo no abrigo corroído do Fairbanks 142, McCandless retomou a rotina de caçar e colher. Leu *A morte de Ivan Ilich*, de Tolstoi, e *O homem terminal*, de Michael Crichton. Anotou em seu diário que choveu uma semana inteira. A caça parece ter sido abundante: nas três últimas semanas de julho, matou 35 esquilos, quatro galos silvestres, cinco gaios e pica-paus e duas rãs, suplementados com batatas selvagens, ruibarbo, vários tipos de frutas silvestres e grande número de cogumelos. Mas, apesar dessa aparente prodigalidade, a carne que vinha comendo era muito magra e ele estava ingerindo menos calorias do que queimava. Depois de subsistir durante três meses com uma dieta extremamente alternativa, McCandless apresentava um déficit de calorias respeitável. Estava vivendo num equilíbrio precário. Então, no final de julho, cometeu o erro que o derrubou.

Acabara de ler *Doutor Jivago*, um livro que o incitara a rabiscar notas entusiasmadas nas margens e sublinhar vários trechos:

> Lara caminhou ao lado dos trilhos, seguindo uma trilha gasta pelos peregrinos, e depois entrou nos campos. Ali parou e, fechando os olhos, respirou fundo o ar perfumado pelas flores da vastidão em torno dela. Aquilo era mais querido para ela do que seus parentes, melhor que um amante, mais sábio que um livro. Por um instante, redescobriu o objetivo de sua vida. Estava aqui na terra para captar o sentido desse encantamento selvagem e chamar cada coisa por seu nome certo, ou, se não fosse capaz disso, dar à luz, por amor à vida, sucessores que o fariam em seu lugar.
>
> "NATUREZA/PUREZA", grafou em negrito no alto da página.
>
> Oh, como se deseja às vezes escapar da estupidez sem sentido da eloquência humana, de todas aquelas frases sublimes, para se refugiar na

natureza, aparentemente tão inarticulada, ou na ausência de palavras da labuta longa e pesada, do sono saudável, da verdadeira música, ou de uma compreensão humana tornada muda pela emoção!

McCandless marcou com estrelas e colchetes o parágrafo e fez um círculo em torno de "refugiar na natureza" com tinta preta.

Ao lado de "E assim se concluiu que somente uma vida semelhante à vida daqueles ao nosso redor, mesclando-se a ela sem murmúrio, é vida genuína, e que uma felicidade não compartilhada não é felicidade. [...] E isso era o mais perturbador de tudo", ele escreveu: "FELICIDADE SÓ REAL QUANDO COMPARTILHADA".

É tentador considerar essa última anotação como mais uma prova de que o longo afastamento de McCandless o havia mudado de forma significativa. Ela pode ser interpretada no sentido de que ele estivesse pronto, talvez, para abrir um pouco a armadura que usava em torno de seu coração, que após retornar à civilização pretendesse abandonar a vida de andarilho solitário, parar de fugir tanto da intimidade e tornar-se um membro da comunidade humana. Mas nunca saberemos com certeza, pois *Doutor Jivago* foi o último livro que leu.

Dois dias depois de terminar o livro, a 30 de julho, há uma anotação agourenta em seu diário: "EXTREMAMENTE FRACO. CULPA DA PANELA. SEMENTE. MUITA DIFICULDADE ATÉ PARA FICAR DE PÉ. MORRENDO DE FOME. GRANDE PERIGO". Antes dessa nota, não há nada no diário que sugira que McCandless estivesse em situação calamitosa. Estava com fome e sua dieta magra tinha reduzido seu corpo a ossos e cartilagens, mas parecia estar com saúde razoável. Então, depois de 30 de julho, sua condição física foi subitamente para o inferno. A 19 de agosto, estava morto.

Houve muita especulação em torno da causa desse declínio súbito. Nos dias que se seguiram à identificação dos restos de McCandless, Wayne Westerberg lembrou vagamente que Chris poderia ter comprado algumas sementes em Dakota do Sul antes de ir para o Norte, inclusive, talvez, algumas sementes de batata, que pretenderia plantar uma vez instalado no mato. Segundo uma teoria, McCandless nunca chegou a plantar uma horta (não vi indícios de uma nas vizinhanças do ônibus) e no final de julho, com fome, acabara comendo as sementes, que o envenenaram.

De fato, as sementes de batata são um pouco tóxicas depois que começam a brotar. Contêm solanina, um veneno que ocorre em plantas da família das solanáceas e causa vômito, diarreia, dor de cabeça e letargia em pouco tempo, além de afetar adversamente os batimentos cardíacos e a pressão arterial quando ingerida por um longo período. Porém, essa teoria tem uma falha séria: para que McCandless fosse abatido pelas sementes de batata, teria de comer muitos, muitos quilos delas; tendo em vista o peso leve de sua mochila quando Gallien o deixou, é extremamente improvável que ele levasse mais do que alguns gramas dessas sementes, se é que levava algum.

Mas outras hipóteses envolvem sementes de batata de uma variedade muito diferente, e essas hipóteses são mais plausíveis. As páginas 126 e 127 do *Tanaina plantlore* descrevem uma planta que é chamada de batata selvagem pelos índios dena'ina, que colhem sua raiz, semelhante à da cenoura. A planta, conhecida pelos botânicos pelo nome de *Hedysarum alpinum*, cresce em solo cascalhento de toda a região.

Conforme o *Tanaina plantlore*, "a raiz da batata selvagem é provavelmente o alimento mais importante dos dena'ina, além das frutas silvestres. Comem-na numa variedade de maneiras — crua, fervida, assada ou frita — e apreciam-na em especial mergulhada em óleo ou banha, na qual também a conservam". A citação prossegue dizendo que a melhor época para desenterrar as batatas selvagens "é na primavera, assim que o solo seca. [...] No verão, elas ficam obviamente secas e duras".

Priscilla Russell Kari, a autora de *Tanaina plantlore*, explicou-me que "a primavera era de fato um tempo difícil para o povo dena'ina, particularmente no passado. Com frequência, a caça de que dependiam não aparecia, ou os peixes não vinham na época prevista. Então, dependiam das batatas selvagens como base da alimentação até que os peixes chegassem, no final da primavera. Elas têm um gosto muito doce. Eram — e ainda são — uma coisa que eles realmente gostam de comer".

Acima do solo, a batata selvagem é um arbusto de sessenta centímetros de altura, em cujas hastes nascem delicadas flores cor-de-rosa, lembrando as da ervilha-de-cheiro. Seguindo uma dica do livro de Kari, McCandless começou a comer raízes de batata selvagem a 24 de junho, sem efeitos maléficos. A 14 de julho, começou a consumir suas vagens também, semelhantes a ervilhas, provavelmente porque as raízes estavam ficando duras demais para comer. Uma fotografia que tirou nesse período mostra um saco plástico de Ziploc transbordando dessas sementes. E então, a 30 de julho, escreveu no diário: "EXTREMAMENTE FRACO. CULPA DA PANELA. SEMENTE. [...]".

Uma página depois de descrever a batata selvagem, *Tanaina plantlore* trata de uma espécie muito próxima, a ervilha-de-cheiro silvestre, *Hedysarum mackenzii*. Embora levemente menor, essa planta é tão parecida com a batata selvagem que até botânicos experientes têm dificuldade em distingui-las. Há uma única característica diferenciadora que é absolutamente confiável: no lado inferior das folhinhas da batata selvagem há nervuras laterais evidentes; essas nervuras são invisíveis nas folhas da ervilha-de-cheiro silvestre.

Por ser tão difícil distinguir as duas e por ser a ervilha-de-cheiro descrita como venenosa, o livro de Kari adverte que "se deve tomar cuidado para identificá-las corretamente antes de tentar usar a batata selvagem como alimento". Não há, na literatura médica moderna, relatos de indivíduos envenenados por comer *H. mackenzii* e os aborígines do Norte parecem saber há milênios que a ervilha-de-cheiro silvestre é tóxica e tomam sempre o maior cuidado para não confundir *H. alpinum* com *H. mackenzii*.

Para encontrar um caso de envenenamento documentado por ervilha-de-cheiro silvestre, tive de voltar aos anais da exploração ártica do século XIX. Encontrei o que buscava nos diários de sir John Richardson, um famoso cirurgião, naturalista e explorador escocês. Participou das duas primeiras expedições de sir John Franklin e sobreviveu a elas; foi Richardson quem executou a tiros o suspeito de "homicídio canibalesco" na primeira expedição. Richardson foi também o primeiro botânico a fazer uma descrição científica da *H. mackenzii* e deu à planta seu nome oficial. Em 1848, enquanto comandava uma expedição pelo Ártico canadense em busca do então desaparecido Franklin, Richardson fez uma comparação botânica entre *H. alpinum* e *H. mackenzii*. A primeira, observou em seu diário,

> fornece longas raízes flexíveis que têm gosto doce como alcaçuz e são muito consumidas na primavera pelos nativos, mas se tornam lenhosas e perdem sua suculência e frescura à medida que a estação avança. A

raiz da encanecida, decumbente e menos elegante, mas de flores maiores *Hedysarum mackenzii* é venenosa e quase matou uma velha mulher indígena em Fort Simpson que a confundiu com a espécie precedente. Felizmente, a planta revelou-se emética; e a mulher, tendo vomitado tudo o que engolira, teve sua saúde restabelecida, embora a recuperação tenha sido durante algum tempo colocada em dúvida.

Era fácil imaginar McCandless cometendo o mesmo erro da índia e ficando derrubado da mesma maneira. A partir de todos os indícios disponíveis, parecia haver poucas dúvidas de que McCandless — precipitado e imprudente por natureza — tivesse feito a asneira de confundir uma planta com a outra e morrido em consequência disso. No artigo de *Outside*, relatei com grande certeza que a *H. mackenzii* matara o garoto. Quase todos os outros jornalistas que escreveram sobre McCandless tiraram a mesma conclusão.

Mas à medida que os meses passavam e eu tinha oportunidade de pensar com calma sobre a morte de McCandless, menos plausível me parecia esse consenso. Durante três semanas, a partir de 24 de junho, ele tinha desenterrado e comido sem problemas dezenas de raízes de batata selvagem, sem confundir *H. alpinum* com *H. mackenzii*; por que, no dia 14 de julho, quando começou a colher sementes em vez de raízes, teria subitamente confundido as duas espécies?

McCandless, passei a acreditar cada vez com mais convicção, tinha evitado escrupulosamente a planta tóxica e nunca comera suas sementes ou qualquer parte dela. Envenenara-se de fato, mas a planta que o matou não foi a ervilha-de-cheiro silvestre. O agente de sua morte foi a batata selvagem, *H. alpinum*, a espécie claramente identificada como não tóxica em *Tanaina plantlore*.

O livro adverte que somente as raízes dessa planta são comestíveis. Embora não diga que as sementes da espécie sejam comestíveis, não diz também que elas sejam tóxicas. Para ser justo com McCandless, deve-se deixar claro que as sementes de *H. alpinum* nunca foram descritas como tóxicas em nenhum texto publicado. Uma extensa pesquisa na literatura médica e botânica não forneceu uma única indicação de que qualquer parte da batata selvagem seja venenosa.

Mas a família das leguminosas, à qual a *H. alpinum* pertence, está cheia de espécies que produzem alcaloides — compostos químicos que têm efeitos farmacológicos potentes sobre seres humanos e animais. (Morfina, cafeína, nicotina, curare, estricnina e mescalina são todos alcaloides.) E ademais, em muitas espécies produtoras de alcaloides a toxina está localizada estritamente em determinada parte da planta.

"O que acontece com muitos legumes", explica John Bryant, um ecologista químico da Universidade do Alasca em Fairbanks, "é que a planta concentra os alcaloides na casca das sementes no final do verão, para desestimular os animais a comê-las. Dependendo da época do ano, não seria raro uma planta de raízes comestíveis ter sementes venenosas. Se a espécie produz alcaloides, à medida que o outono se aproxima, as sementes são onde a toxina será encontrada com maior probabilidade."

Durante minha visita ao rio Sushana, coletei amostras de *H. alpinum* existentes a poucos metros do ônibus e mandei vagens dessa amostra para Tom Clausen, um colega do professor Bryant no Departamento de Química da Universidade do Alasca. Ainda falta completar uma análise espectrográfica conclusiva, mas testes preliminares feitos por Clausen e Edward Treadwell, um de seus alunos de pós-graduação, indicam que as sementes contêm definitivamente traços de um alcaloide. Além disso, há uma forte possibilidade de o alcaloide ser swainsonina, um composto conhecido pelos pecuaristas e veterinários por ser o agente tóxico do astrágalo *locoweed*.

Há cerca de cinquenta variedades de astrágalos tóxicos, cuja maioria pertence ao gênero *Astragalus*, muito próximo do *Hedysarum*. Os sintomas mais óbvios do envenenamento por astrágalo são neurológicos. Conforme o *paper* publicado no *Journal of the American Veterinary Medicine Association*, entre os sinais desse envenenamento estão "depressão, uma marcha lenta e vacilante, pelagem eriçada, olhos baços com olhar parado, emagrecimento, descoordenação muscular e nervosismo (especialmente quando tenso). Além disso, os animais afetados podem tornar-se solitários e difíceis de manejar e ter dificuldades para comer e beber".

Com a descoberta de que as sementes da batata selvagem podem ser repositório de swainsonina ou algum composto tóxico similar, pode-se afirmar convincentemente que foram essas sementes que causaram a morte de McCandless. Se isso é verdade, significa que ele não foi irresponsável ou incompetente, como disseram. Não confundiu uma espécie com a outra. Não se sabia que a planta que o envenenou era tóxica; com efeito, ele vinha comendo suas raízes havia semanas, sem problemas. Em seu estado de fome, McCandless cometeu simplesmente o erro de ingerir suas vagens com sementes. Uma pessoa com maiores conhecimentos de princípios botânicos provavelmente não teria feito isso, mas foi um erro inocente. O suficiente, no entanto, para matá-lo.

Os efeitos do envenenamento por swainsonina são crônicos: o alcaloide raramente mata rápido. A toxina cumpre sua tarefa insidiosamente, indiretamente, inibindo uma enzima essencial ao metabolismo das glicoproteínas. Ela cria algo como um bloqueio de vapor nas linhas de circulação dos combustíveis dos animais. O corpo é impedido de transformar o que come em fonte de energia utilizável. Se a pessoa ingere muita swainsonina, está fadada a morrer de fome, por mais comida que ponha no estômago.

Os animais às vezes se recuperam do envenenamento depois que deixam de comer astrágalo, mas somente se estão razoavelmente robustos. Para que o composto tóxico seja expelido pela urina, é preciso primeiro que se aglutine a moléculas disponíveis de glicose ou aminoácido. É necessária a presença de uma grande reserva de proteínas e açúcares para sugar o veneno e expeli-lo do organismo.

"O problema", diz o professor Bryant, "é que se a pessoa está magra e faminta não terá obviamente nenhuma glicose ou proteína para gastar; assim, não há como expelir a toxina do organismo. Quando um mamífero faminto ingere um alcaloide — até mesmo um benigno, como a cafeína —, ele será muito mais atingido do que seria normalmente porque não tem as reservas de glicose necessárias para excretar a coisa. O alcaloide vai simplesmente se acumular no sistema. Se McCandless comeu uma grande quantidade dessas sementes quando já estava num estado de semi-inanição, isso foi uma porta aberta para a catástrofe."

Derrubado pelas sementes tóxicas, o garoto descobriu que estava de repente fraco demais para sair andando e se salvar. Estava fraco até para caçar com eficácia e assim ficou ainda mais debilitado, deslizando aos poucos para a inanição. Sua vida entrara numa espiral fora de controle, em uma velocidade terrível.

Não há anotações no diário para os dias 31 de julho e 1º de agosto. No dia 2, diz apenas "VENTO TERRÍVEL". O outono estava próximo. A temperatura estava caindo e os dias tornavam-se mais curtos: cada rotação da Terra diminuía sete minutos da luz do dia e aumentava sete de frio e escuridão. No período de uma única semana, a noite tornava-se quase uma hora mais longa.

"DIA 100! CONSEGUI!", anotou ele com júbilo no dia 5 de agosto, orgulhoso de ter alcançado marco tão significativo, "MAS NA CONDIÇÃO MAIS FRACA DE VIDA. A MORTE ESPREITA COMO AMEAÇA SÉRIA. FRACO DEMAIS PARA SAIR CAMINHANDO, FIQUEI LITERALMENTE PRESO NO MATO — SEM CAÇA."

Se McCandless tivesse um mapa topográfico, saberia da existência de uma cabana do Serviço de Parques no alto Sushana, a menos de dez quilômetros ao sul do ônibus, uma distância que talvez conseguisse cobrir mesmo em sua condição muito debilitada. A cabana, já dentro do Parque Nacional Denali, fora provida com uma pequena quantidade de alimentos de emergência, roupa de cama e suprimentos de primeiros socorros para uso dos guardas em suas patrulhas de inverno. E, embora não estejam marcadas no mapa, a três quilômetros mais próximas do ônibus encontram-se duas cabanas particulares, uma de Will e Linda Forsberg, conhecidos condutores de trenó puxados por cães de Healy, a outra de Steve Carwile, um empregado do Parque Nacional Denali — onde também deveria haver alguma comida.

Em outras palavras, a salvação palpável de McCandless parecia estar a apenas três horas de caminhada rio acima. Essa triste ironia foi amplamente notada logo após sua morte. Mas, mesmo que ele soubesse dessas cabanas, elas não o teriam livrado do perigo: a certa altura, depois da metade de abril, quando as cabanas ficaram vazias após o degelo da neve, alguém as invadiu e destruiu o que encontrou pela frente. A comida ficou exposta aos animais e ao tempo, estragando.

O dano só foi descoberto no final de julho, quando um biólogo chamado Paul Atkinson fez a extenuante travessia da cadeia Exterior, da estrada do Parque Nacional Denali à cabana do Serviço de Parques. Ficou chocado e desconcertado com a destruição estúpida que encontrou. "Não se tratava obviamente de obra de urso", relata Atkinson. "Entendo de ursos e sei como são os danos causados por eles. Parecia que alguém fora até as cabanas com um martelo de unha e batera em tudo que estava à vista. Pelo tamanho das ervas que cresciam no meio dos colchões jogados na rua ficou claro que o vandalismo ocorrera muitas semanas antes."

"Estava totalmente destroçada", diz Will Forsberg de sua cabana. "Tudo que não estava pregado foi destruído. Todas os lampiões e quase todas as janelas foram quebrados. As roupas de cama e os colchões estavam jogados para fora numa pilha, as madeiras do teto foram arrancadas, latas de combustível furadas, o fogão a lenha removido — até mesmo um grande tapete foi levado para fora para apodrecer. E toda a comida desapareceu. Assim, as cabanas não teriam ajudado muito Alex, mesmo se as tivesse achado. Ou então, quem sabe, ele as tenha de fato encontrado."

Forsberg considera McCandless o principal suspeito. Acredita que McCandless topou com as cabanas depois de chegar ao ônibus na primeira semana de maio, ficou com raiva da invasão da civilização em sua preciosa experiência na natureza selvagem e as destruiu. Porém, essa teoria deixa de explicar por que McCandless não destruiu o ônibus também.

Carwille também suspeita de McCandless. "É apenas intuição", explica ele, "mas tenho a sensação de que ele era o tipo do sujeito que poderia 'libertar a natureza'. Destruir as cabanas seria uma maneira de fazer isso. Ou foi talvez sua intensa aversão ao governo: viu a tabuleta do Serviço de Parques na cabana, supôs que as três eram propriedade do governo e decidiu dar um golpe no *Big Brother*: isso parece plausível no terreno das possibilidades."

As autoridades, porém, não pensam que McCandless foi o vândalo. "Nós realmente não sabemos quem pode ter feito aquilo", diz Ken Kehrer, chefe dos guardas do Parque Nacional Denali. "Mas Chris McCandless não é considerado suspeito pelo Serviço Nacional de Parques." De fato, não há nada no diário e nas fotos dele que sugira ter chegado perto das cabanas. Quando se aventurou para além do ônibus, no início de maio, suas fotografias mostram que foi para o norte, descendo o Sushana, direção oposta à das cabanas. E mesmo que tivesse topado com elas é difícil imaginá-lo destruindo-as sem se jactar da façanha em seu diário.

Não há anotações no diário para os dias 6, 7 e 8 de agosto. No dia 9, anotou que atirou num urso pardo, mas errou. No dia 10, viu um caribu, mas não atirou, e matou cinco esquilos. Porém, se uma quantidade suficiente de swainsonina tinha se acumulado em seu corpo, essa sorte com caças pequenas proporcionou pouca nutrição. A 11 de agosto, matou e comeu uma ptármiga. No dia seguinte, arrastou-se para fora do ônibus para procurar frutas silvestres, depois de deixar um pedido de ajuda na improvável hipótese de que alguém passasse enquanto estava fora. Escrita em letras de fôrma meticulosas numa página arrancada de *Taras Bulba*, de Gogol, ela diz:

S.O.S. PRECISO DE SUA AJUDA. ESTOU FERIDO, QUASE MORTO E FRACO DEMAIS PARA SAIR DAQUI. ESTOU SOZINHO, ISTO NÃO É PIADA. EM NOME DE DEUS, POR FAVOR FIQUE PARA ME SALVAR. ESTOU CATANDO FRUTAS POR PERTO E DEVO VOLTAR ESTA TARDE. OBRIGADO.

Ele assinou o bilhete "CHRIS MCCANDLESS, AGOSTO?". Reconhecendo a gravidade de sua situação, abandonou o apelido pretensioso que vinha usando havia anos, Alexander Supertramp, em favor do nome que recebeu de seus pais ao nascer.

Muitos alasquianos se perguntaram por que, nessa altura do desespero, McCandless não iniciou um incêndio na floresta para sinalizar que estava em perigo. Havia dois galões quase cheios de gás de cozinha no ônibus; provavelmente seria fácil iniciar um incêndio grande o suficiente para atrair a atenção de aeroplanos de passagem, ou pelo menos queimar um sos gigante na vegetação rasteira.

Porém, ao contrário da crença comum, o ônibus não está sob uma rota de voo e muito poucos aviões passam por ali. Nos quatro dias que fiquei na Stampede Trail, não vi uma única aeronave, exceto jatos comerciais voando a mais de 8 mil metros de altitude. Aviões menores passaram certamente à distância visível do ônibus de vez em quando, mas McCandless teria de provocar um incêndio bem grande na floresta para atrair a atenção deles. E como observa sua irmã Carine,

"Chris jamais queimaria intencionalmente uma floresta, nem mesmo para salvar sua vida. Quem pensa de modo diferente não entendeu nada a respeito de meu irmão".

A inanição não é uma maneira agradável de expirar. Nos estágios avançados da fome, quando o corpo começa a se consumir, a vítima sofre dores musculares, perturbações cardíacas, perda de cabelos, tontura, falta de ar, extrema sensibilidade ao frio, exaustão física e mental. A pele fica descolorida. Na ausência de nutrientes essenciais, desenvolve-se um grave desequilíbrio químico no cérebro, induzindo a convulsões e alucinações. Contudo, algumas pessoas que foram trazidas de volta da beira da inanição relatam que, perto do fim, a fome desaparece, a dor terrível se dissipa e o sofrimento é substituído por uma euforia sublime, uma sensação de calma acompanhada de clareza mental transcendente. Seria bom pensar que McCandless experimentou um êxtase semelhante.

A 12 de agosto, ele escreveu o que seriam suas últimas palavras no diário: "Belas *blueberries*". De 13 a 18 de agosto, o diário não registra mais do que a contagem dos dias. A certa altura dessa semana, ele arrancou a última folha das memórias de Louis L'Amour, *Educação de um homem errante*. Em um dos lados da folha estavam alguns versos que L'Amour citara do poema de Robinson Jeffers "Homens sábios em suas horas ruins":

> A morte é uma calhandra feroz; mas morrer tendo feito
> Alguma coisa mais à altura dos séculos
> Do que músculo e ossos é principalmente não deixar passar fraqueza.
> As montanhas são pedra morta, as pessoas
> Admiram ou odeiam sua estatura, sua quietude insolente,
> As montanhas não são amolecidas ou perturbadas
> E os pensamentos de alguns homens mortos têm a mesma têmpera.

No outro lado, que estava em branco, McCandless rabiscou um curto adeus: "TIVE UMA VIDA FELIZ E AGRADEÇO A DEUS. ADEUS E QUE DEUS ABENÇOE A TODOS!".

Depois, arrastou-se para dentro do saco de dormir que sua mãe costurara para ele e deslizou para a inconsciência. Morreu provavelmente a 18 de agosto, 112 dias depois de entrar no mato, dezenove dias antes que seis alasquianos topassem com o ônibus e descobrissem seu corpo.

Um de seus últimos atos foi tirar uma foto de si mesmo, de pé perto do ônibus, sob o alto céu do Alasca, segurando com uma das mãos seu bilhete final, a outra erguida numa despedida corajosa, beatífica. Seu rosto está horrivelmente emaciado, quase esquelético. Mas se sentiu pena de si mesmo naquelas últimas horas difíceis — porque era tão jovem, porque estava sozinho, porque seu corpo o traíra e sua vontade o abandonara —, isso não aparece na fotografia. Está sorridente e não há como se enganar com seu olhar: Chris McCandless estava em paz, sereno como um monge que se entrega a Deus.

EPÍLOGO

Ainda assim, a última memória triste paira e, às vezes, deixa-se levar como neblina flutuante, interceptando a luz do sol e enregelando a lembrança de tempos mais felizes. Houve alegrias grandes demais para ser descritas com palavras e houve dores sobre as quais não ousei alongar-me; e com isso em mente, digo: escale se quiser, mas lembre que coragem e força são nada sem prudência e que uma negligência momentânea pode destruir a felicidade de uma vida inteira. Não faça nada às pressas; olhe bem para cada passo; e, desde o começo, pense o que poderá ser o fim.

EDWARD WHYMPER
ESCALADAS ENTRE OS ALPES

Dormimos ao som do realejo; acordamos, se alguma vez acordamos, ao silêncio de Deus. E então, quando acordamos para as praias profundas do tempo aniquilado, então quando a escuridão deslumbrante rompe por sobre as encostas longínquas do tempo, então é tempo para atirar ao ar coisas, como nossa razão e nossa vontade; então é tempo de quebrar nossos pescoços correndo para casa.

Não há acontecimentos, mas pensamentos e o bater inflexível do coração, o aprendizado lento do coração de onde amar e a quem. O resto é pura conversa fiada e histórias da carochinha.

ANNIE DILLARD
SANTA FIRMA

O helicóptero sobe lenta e ruidosamente acima do ombro do monte Healy. Enquanto o altímetro assinala 1500 metros de altura, acompanhamos uma crista cor de barro, a terra se afasta e uma visão emocionante da taiga enche a janela de Plexiglas. À distância, posso distinguir a Stampede Trail, traçando uma linha apagada e cheia de curvas de leste a oeste na paisagem.

Billie McCandless está no banco da frente; Walt e eu ocupamos o de trás. Dez duros meses se passaram desde que Sam McCandless apareceu à porta da casa deles para contar que Chris estava morto. É tempo, decidiram, de visitar o lugar em que seu filho morreu, vê-lo com os próprios olhos.

Walt passou os últimos dez dias em Fairbanks, trabalhando para a Nasa, desenvolvendo um sistema de radar aerotransportado para missões de busca e resgate que permitirá o encontro dos restos de um avião caído no meio de centenas de hectares de floresta densa. Há vários dias que está perturbado, irritadiço, impaciente. Billie, que chegou ao Alasca há dois dias, confidenciou-me que foi difícil para ele concordar em visitar o ônibus. Surpreendentemente, ela diz que se sente calma e esperava por essa viagem já fazia algum tempo.

O helicóptero significou uma mudança de última hora nos planos. Billie queria muito viajar por terra, seguir a Stampede Trail como Chris o fizera. Com esse objetivo, contatara Butch Killian, o mineiro de Healy que estivera presente quando o corpo de Chris foi descoberto, e ele concordara em levar Billie e Walt até o ônibus em seu veículo *off road*. Mas ontem Killian telefonou para dizer, preocupado, que o rio Teklanika ainda estava alto — alto demais para cruzar com segurança, mesmo com seu Argo anfíbio de oito rodas. Por isso, o helicóptero.

Seiscentos metros abaixo da aeronave, um xadrez sarapintado de verde de pântano de musgos e juncos e floresta de abetos cobre o terreno ondulado. O Teklanika parece uma longa fita marrom jogada descuidadamente sobre a terra. Um objeto artificialmente brilhante fica à vista perto da confluência de dois riachos menores: o ônibus Fairbanks 142. Levamos quinze minutos para cobrir a distância que Chris levou quatro dias caminhando.

O helicóptero pousa ruidosamente, o piloto desliga o motor e saltamos na terra arenosa. Um momento depois, a máquina decola, deixando-nos cercados por um silêncio monumental. Enquanto Walt e Billie ficam imóveis, a dez metros do ônibus, fitando o veículo estranho sem falar, um trio de gaios tagarela num choupo.

"É menor do que imaginei", diz Billie finalmente. "Quer dizer, o ônibus." E depois, olhando os arredores: "Que lugar bonito. É incrível como me lembra o lugar onde cresci. Oh, Walt, parece exatamente a península Superior! Chris deve ter adorado ficar aqui".

"Tenho muitos motivos para não gostar do Alasca, certo?", responde Walt, franzindo as sobrancelhas. "Mas, devo admitir, o lugar tem uma certa beleza. Posso ver o que atraiu Chris."

Nos trinta minutos seguintes, Walt e Billie caminham em silêncio em torno do veículo decrépito, descem ao rio Sushana, visitam os bosques vizinhos.

Billie é a primeira a entrar no ônibus. Walt volta do riacho e a encontra sentada no colchão em que Chris morreu, olhando para o interior decrépito do veículo. Por um longo tempo, fita em silêncio as botas do filho sob o fogão, seus escritos nas paredes, sua escova de dentes. Mas hoje não há lágrimas. Passando os olhos pela barafunda sobre a mesa, ela se inclina para examinar uma colher com um desenho floral no cabo: "Walt, veja isso. É o talher que tínhamos na casa de Annandale".

Na parte frontal do ônibus, Billie pega um dos jeans remendados de Chris e, fechando os olhos, encosta-o no rosto. "Cheire", ela pede ao esposo com um sorriso dolorido. "Ainda tem o cheiro de Chris." Depois de um longo intervalo, ela declara, mais para si mesma do que para outrem: "Ele deve ter sido muito corajoso e muito forte, no fim, para não se suicidar".

Billie e Walt entram e saem do ônibus nas duas horas seguintes. Walt instala uma lembrança logo à entrada, uma placa simples de bronze com algumas palavras. Embaixo dela, Billie dispõe um buquê de *fireweed* [talvez *Epilobium angustifolium*], acônito, milefólio e ramos de abeto. Sob a cama, ela deixa uma mala com um kit de primeiros socorros, comida enlatada e outros artigos de sobrevivência, além de um bilhete pedindo para quem o ler que "chame seus pais logo que puder". A mala contém também uma Bíblia que pertencia a Chris quando criança, embora ela confesse que "não tenho rezado desde que o perdemos".

Walt, meditativo, fala pouco, mas parece estar mais à vontade do que nos últimos dias. "Eu não sabia como ia reagir a isso", admite ele, apontando para o ônibus. "Mas agora estou contente por ter vindo." Essa breve visita, diz ele, deu-lhe uma compreensão um pouco melhor de por que seu menino veio para cá. Há muita coisa em relação a Chris que ainda o desconcerta e vai desconcertá-lo pelo resto da vida, mas agora se sente um pouco menos perdido. E em função desse pequeno alívio está agradecido.

"É confortador saber que Chris esteve aqui", explica Billie, "saber com certeza que ele passou um tempo ao lado deste rio, que caminhou por este pedaço de terreno. Tantos lugares que visitamos nos últimos três anos, imaginando que Chris pudesse ter passado por ali. Era terrível não saber — não saber nada.

"Muitas pessoas me disseram que admiram Chris pelo que ele estava tentando fazer. Se tivesse sobrevivido, eu concordaria com elas. Mas isso não aconteceu e não há como trazê-lo de volta. Não tem conserto. Não sei se a gente supera esse tipo de perda. O fato de que Chris se foi é uma dor aguda que sinto todos os dias. É realmente duro. Alguns dias são menos ruins que outros, mas vai ser duro todos os dias pelo resto de minha vida."

De repente, a quietude é rompida pelo barulho percussivo do helicóptero, que desce em espiral das nuvens e pousa sobre as ervas rasteiras. Embarcamos; a aeronave sobe aos céus e depois paira um pouco antes de seguir para sudeste. Durante alguns minutos, o teto do ônibus permanece visível entre as árvores mirradas, um pequenino brilho branco num mar de verde selvagem, ficando cada vez menor, até desaparecer.

POSFÁCIO

Há mais de duas décadas, o debate sobre o que matou Chris McCandless e a questão decorrente de saber se o jovem é digno de admiração arde em fogo lento e às vezes pega fogo. Logo após a primeira edição deste livro ter sido publicada, em janeiro de 1996, os químicos Edward Treadwell e Thomas Clausen, da Universidade do Alasca, derrubaram minha teoria de que a causa da morte de McCandless era um alcaloide tóxico que existe nas sementes da batata selvagem (*Hedysarum alpinum*). Treadwell e Clausen fizeram análises químicas das sementes que lhes enviei e não encontraram nenhum vestígio de substâncias venenosas. "Eu despedacei essa planta", explicou o dr. Clausen ao *Men's Journal* em 2007, "e não havia toxinas. Nenhum alcaloide. Eu mesmo a comi."

Com base na determinação de Treadwell e Clausen de que as sementes de *H. alpinum* não são tóxicas, propus uma nova hipótese para explicar a morte de McCandless, que incluí numa edição atualizada deste livro publicada em 2007: não foram as sementes que o mataram, mas um fungo que crescia nas sementes e que produzia um alcaloide tóxico.

Contudo, eu não tinha provas sólidas para sustentar essa hipótese, então continuei buscando informações que me permitissem conciliar a anotação inequívoca do diário de McCandless, em que ele diz que estava extremamente fraco e corria grande perigo porque comera sementes de batata selvagem, com os resultados também inquestionáveis das análises químicas realizadas por Treadwell e Clausen. Ademais, esses resultados foram reforçados em 2008, quando eles publicaram na revista *Ethnobotany Research and Applications* um artigo revisado por pares intitulado "A *Hedysarum mackenzii* (ervilha-de-cheiro selvagem) é realmente tóxica?". Ao concluir "uma comparação exaustiva da química secundária entre as duas plantas [*H. alpinum* e *H. mackenzii*], bem como uma busca de metabolitos contendo nitrogênio (alcaloides) em ambas as espécies, não encontramos nenhuma base química para a toxicidade", escreveram Treadwell e Clausen.

Em agosto de 2013, topei com um artigo intitulado "O fogo silencioso: ODAP e a morte de Christopher McCandless", de Ronald Hamilton, que parecia resolver o enigma. O ensaio de Hamilton, publicado on-line, apresentava provas até então desconhecidas de que a planta da batata selvagem era, de fato, altamente tóxica, ao contrário do que garantiam Treadwell, Clausen e, ao que parece, todos os especialistas que já haviam pensado sobre o assunto. De acordo com Hamilton, o agente tóxico na *H. alpinum* não era um alcaloide, como eu havia especulado, mas um aminoácido, que foi a principal causa da morte de McCandless.

Hamilton não é botânico nem químico: é um escritor que até recentemente trabalhava como encadernador na biblioteca da Universidade Indiana da Pensilvânia. Como Hamilton explica, ele conheceu a história de McCandless em 2002, quando caiu em suas mãos um exemplar de *Na natureza selvagem*. Ao folhear suas páginas, de repente pensou: "Eu sei por que esse cara morreu". Seu palpite decorria de ter lido sobre Vapniarca, um campo de concentração pouco conhecido da Segunda Guerra Mundial, situado onde era então a Ucrânia ocupada pelos alemães.

"Fiquei sabendo de Vapniarca por intermédio de um livro cujo título já não me lembro", disse Hamilton. "Havia uma pequena referência a Vapniarca num dos capítulos. [...] Mas depois de ler *Na natureza selvagem*, consegui rastrear um manuscrito sobre Vapniarca, que foi publicado on-line." Mais tarde, na Romênia, Hamilton localizou o filho de um homem que fora funcionário administrativo do campo e que lhe enviou uma coleção valiosa de documentos.

Em 1942, num experimento macabro, um oficial de Vapniarca começou a alimentar os prisioneiros judeus com pão e sopa feitos de sementes de chícharo (*Lathyrus sativus*), uma leguminosa comum conhecida desde a época de Hipócrates por ser tóxica. "Muito rápido", escreve Hamilton em "O fogo silencioso",

> um médico judeu e prisioneiro do campo chamado Arthur Kessler compreendeu o que aquilo implicava, sobretudo quando, em poucos meses, centenas de jovens internados no campo começaram a mancar e passaram a usar varas como muletas para caminhar. Em alguns casos, os prisioneiros foram logo obrigados a rastejar sobre as nádegas para se mover pelo campo. [...] Depois que ingeriam o suficiente da planta criminosa, era como se um fogo silencioso se acendesse dentro de seus corpos. Não havia como escapar desse fogo: uma vez aceso, queimava até que a pessoa que comera o chícharo ficasse aleijada. [...] Quanto mais comiam, piores as consequências — mas, de qualquer maneira, uma vez iniciados os efeitos, simplesmente não havia forma de revertê-los.
> Ainda hoje, neste momento, a *Lathyrus sativus* está mutilando [e] aleijando. [...] Estima-se atualmente que [ao longo do século XX] mais de 100 mil pessoas em todo o mundo [tenham sofrido] paralisia irreversível devido ao consumo dessa planta. A doença é chamada de neurolatirismo ou, mais comumente, "latirismo".
> O dr. Arthur Kessler, [...] o primeiro a reconhecer a experiência sinistra realizada em Vapniarca, foi um dos que escapou da morte durante aqueles tempos terríveis. Depois da guerra, ele foi para Israel e abriu uma clínica para estudar, cuidar e tentar tratar das numerosas vítimas de latirismo de Vapniarca, muitas das quais também se mudaram para Israel.

A substância prejudicial era uma neurotoxina, o ácido β-N--oxalil-L-α,β-diaminopropiônico, um composto comumente chamado de beta-ODAP ou, mais frequentemente, apenas ODAP. De acordo com Hamilton, o ODAP

> afeta diferentes pessoas, diferentes sexos e até diferentes grupos etários de diversas maneiras. Afeta até mesmo pessoas dentro desses grupos etários de variadas formas. [...] Há, no entanto, uma constante no envenenamento por ODAP, que dito de forma muito simples é: os mais atingidos são sempre homens jovens entre 15 e 25 anos e que estão essencialmente morrendo de fome ou ingerindo calorias muito limitadas, que se envolveram em atividades físicas pesadas e sofrem de carência de micronutrientes devido a dietas exíguas e não variadas.

O ODAP foi identificado em 1964. Ele causa paralisia pela superestimulação de receptores nervosos, o que faz com que eles morram. Como Hamilton explica,

> o motivo não está claro, mas os neurônios mais vulneráveis a esse colapso catastrófico são aqueles que regulam o movimento das pernas. [...] E quando morrem neurônios suficientes, acontece a paralisia. [...] [O estado de saúde] nunca melhora; sempre piora. Os sinais ficam cada vez mais fracos até que cessam por completo. A vítima experimenta "muita dificuldade até mesmo para se levantar". Em pouco tempo, muitos ficam fracos demais para caminhar. A essa altura, a única coisa que lhes resta é rastejar. [...]

Depois que leu *Na natureza selvagem* e se convenceu de que o ODAP era o responsável pelo triste fim de McCandless, Hamilton procurou o dr. Jonathan Southard, vice-diretor do departamento de bioquímica da Universidade Indiana da Pensilvânia, e o convenceu a fazer com que uma de suas alunas, Wendy Gruber, testasse a presença de ODAP nas sementes de *H. alpinum* e *H. mackenzii*. Gruber concluiu seus testes em 2004 e determinou que o ODAP parecia estar presente em ambas as espécies de *Hedysarum*, mas seus resultados não foram nada conclusivos. "Para poder dizer com certeza que o ODAP está presente nas sementes", relatou ela, "precisamos usar outra dimensão de análise, provavelmente por HPLC-MS" — cromatografia líquida de alta eficiência. Mas Gruber não tinha experiência nem recursos para analisar as sementes com HPLC, então a hipótese de Hamilton continuou sem comprovação.

Na esperança de saber se Hamilton era digno de crédito, em agosto de 2013 enviei 150 gramas de sementes de batata selvagem recém-coletadas ao laboratório Avomeen Analytical Services, em Ann Arbor, Michigan, para uma análise de HPLC, a qual determinou que as sementes continham 0,394% de ODAP em massa, uma concentração dentro dos níveis conhecidos por causar latirismo em seres humanos. Em 12 de setembro de 2013, relatei os resultados do Avomeen num artigo intitulado "Como Chris McCandless morreu", publicado no site da *New Yorker*.

Cinco dias depois, Dermot Cole, jornalista de Fairbanks, publicou no site do *Alaska Dispatch* um artigo intitulado "A teoria precipitada de Krakauer sobre McCandless dá pouca atenção à ciência". Cole escreveu:

> Krakauer deveria aceitar o conselho de Tom Clausen, químico orgânico aposentado da UAF, que passou grande parte de sua carreira estudando plantas do Alasca e suas propriedades.
>
> Clausen disse que, sem pesquisas científicas revisadas por pares, ele não tiraria nenhuma conclusão sobre o que vem a ser uma questão científica altamente técnica e complicada.
>
> A diferença entre um relato popular para o público em geral e um periódico revisado por pares é que um ou dois editores podem conferir o primeiro, enquanto o outro será submetido a um exame crítico com o objetivo de descobrir um trabalho desleixado.
>
> Clausen disse que não tem nada para refutar a conclusão, alcançada por ambos [Ron Hamilton] e Krakauer, de que o ODAP estava presente nas amostras.
>
> "Dito isso, quero complementar com o comentário de que sou muito cético a respeito de toda essa história", escreveu Clausen num e-mail. [...] "Eu ficaria muito mais convencido se estivesse lendo o relatório de um profissional confiável revisado por pares."

Dei-me conta de que Clausen estava certo: eu não podia ter certeza absoluta de que as sementes eram tóxicas enquanto não fizesse análises mais sofisticadas e depois publicasse os resultados num periódico respeitável revisado por pares. Então iniciei uma nova rodada de testes.

Comecei pedindo que o Avomeen analisasse as sementes por cromatografia líquida acoplada a espectrometria de massas (LC-MS). Esse teste detectou um componente importante da semente com uma massa molecular de 176, a massa molecular do ODAP, o que parecia corroborar os resultados anteriores da HPLC. Em seguida, o Avomeen sugeriu que levássemos a análise para uma resolução ainda maior usando cromatografia líquida acoplada à espectrometria de massas em sequência (LC-MS/MS). Os resultados confirmaram que a massa do composto em questão era 176, mas o padrão de fragmentação do íon, ou "impressão digital", desse composto não combinava com a impressão digital de uma amostra de ODAP puro que também foi analisada. Em outras palavras, o ODAP não estava presente nas sementes de *H. alpinum*. A LC-MS/MS refutou de forma conclusiva a hipótese de Hamilton.

Não obstante, a análise LC-MS/MS sugeriu a possibilidade de que uma concentração significativa de um composto estruturalmente semelhante ao ODAP pudesse estar presente nas sementes. Então, percorri a literatura científica de novo, dessa vez de forma ainda mais exaustiva, lendo todos os artigos que pude encontrar sobre aminoácidos não proteicos tóxicos com uma massa molecular de 176. Para minha surpresa, acabei por descobrir um artigo de um cientista chamado B. A. Birdsong, publicado na edição de 1960 do *Canadian Journal of Botany*, o qual registrava que as sementes de *H. alpinum* continham um aminoácido tóxico chamado L-canavanina. E acontece que a massa do L-canavanina é 176.

Esse artigo escapou de minhas buscas anteriores porque eu estava procurando por um alcaloide tóxico em vez de um aminoácido tóxico. O artigo também passou despercebido por Clausen e Treadwell.

Birdsong e seus coautores determinaram a presença de L-canavanina nas sementes usando uma técnica chamada cromatografia em papel acoplada à análise colorimétrica com pentacianoaminoferrato trissódico, ou PCAF. Tendo em vista toda a controvérsia, e uma vez que os métodos de análise dos constituintes das plantas avançaram muito nos 54 anos decorridos desde a pesquisa de Birdsong, pedi ao Avomeen que avaliasse a presença de L-canavanina nas sementes usando LC-MS/MS, a mesma técnica que refutara a presença de ODAP. Essa nova análise descobriu que as sementes de *H. alpinum* contêm de fato uma concentração significativa de L-canavanina — 1,2% em massa.

Acontece que a L-canavanina é um antimetabólito armazenado nas sementes de muitas espécies de leguminosas para afastar predadores, e sua toxicidade em animais está bem documentada na literatura científica. Observaram-se numerosos casos de bovinos envenenados depois de comer feijão-de-porco (*Canavalia ensiformis*), cujas sementes contêm em torno de 2,5% de L-canavanina em peso seco; os sintomas são rigidez dos quartos traseiros, fraqueza progressiva, enfisema e hemorragias das glândulas linfáticas.

Embora existam poucos estudos clínicos ou epidemiológicos sobre doenças induzidas por canavanina em seres humanos, há relatos esparsos de efeitos tóxicos em pessoas que ingeriram sementes de feijão-de-porco. Um artigo publicado na prestigiosa revista alemã *Die Pharmazie* observou que "os relatos dispersos sobre envenenamento por essa planta provavelmente não têm relação com o número real de ocorrências originadas por ela na prática agrícola, porque a causa é muito difícil de reconhecer".

Escrevi um artigo, em coautoria com os drs. Jonathan Southard, Ying Long, Andrew Kolbert e Shri Thanedar, intitulado "Presença de L-canavanina em sementes de *Hedysarum alpinum* e seu papel potencial na morte de Chris McCandless", que foi publicado na revista revisada por pares *Wilderness and Environmental Medicine* em outubro de 2014. Na conclusão, escrevemos:

> Nossos resultados confirmaram que a L-canavanina (um antimetabólito com toxicidade demonstrada em mamíferos) é um componente significativo das sementes de *H. alpinum*. [...] No caso de Christopher McCandless, há indícios de que as sementes de *H. alpinum* constituíam uma parcela significativa de sua escassa dieta durante o período anterior à sua morte. Com base nisso e no que se sabe sobre os efeitos tóxicos da L-canavanina, tiramos a conclusão lógica de que, nessas condições, é altamente provável que a ingestão de quantidades relativamente grandes desse antimetabólito tenha contribuído para sua morte.
>
> A morte de Chris McCandless deveria servir de advertência a outros aventureiros: mesmo quando se sabe que algumas partes de uma planta são comestíveis, outras partes da mesma espécie podem conter concentrações perigosas de compostos tóxicos. Além disso, pode haver variações sazonais e ecotípicas nas concentrações de L-canavanina entre várias comunidades de *H. alpinum*. São necessários mais estudos para determinar o grau de concentração de L-canavanina em diferentes populações da planta. Tendo em vista as propriedades tóxicas conhecidas da L-canavanina e sua presença estabelecida em sementes de *H. alpinum*, parece prudente usar de cautela antes de ingerir essas sementes, sobretudo como parte significativa de uma dieta.

Embora Ron Hamilton tenha se equivocado a respeito do papel do ODAP na morte de McCandless, ele estava certo ao dizer que as sementes de *H. alpinum* são venenosas e que um aminoácido, em vez de um alcaloide, é o elemento tóxico. Sou imensamente grato a ele por ter publicado "O fogo silencioso: ODAP e a morte de Christopher McCandless", porque, sem seu artigo, é improvável que eu tivesse topado com o artigo de Birdsong e, portanto, jamais teria sabido da presença de L-canavanina em sementes de *H. alpinum*. Perto do final de "O fogo silencioso", Hamilton ponderou:

> Pode-se dizer que Christopher McCandless realmente morreu de fome na selva do Alasca, mas isso só aconteceu porque ele se envenenara, e o veneno o deixou fraco demais para se deslocar, caçar ou coletar e, perto do fim, "extremamente fraco", "fraco demais para caminhar", e "com muita dificuldade até mesmo para se levantar". Ele não estava morrendo de fome no sentido mais técnico dessa situação. [...] [Mas] não foi a arrogância que o matou, foi a ignorância [...], o que deve ser perdoado, pois os fatos subjacentes à sua morte não foram reconhecidos por ninguém, tanto cientistas como leigos, literalmente por décadas.

É improvável que a confirmação de que as sementes tóxicas foram, pelo menos em parte, responsáveis pela morte de McCandless vá persuadir muitos alasquianos a vê-lo com mais simpatia, mas pode impedir que outros aventureiros que comem plantas silvestres se envenenem por acidente. Se o guia de McCandless de plantas comestíveis advertisse que as sementes de *H. alpinum* contêm um "constituinte de planta secundário altamente tóxico", como a L-canavanina é descrita na literatura científica, ele provavelmente teria saído da natureza selvagem no final de agosto sem mais dificuldade do que quando entrara em abril, e ainda estaria vivo hoje. Se assim fosse, Chris McCandless teria agora 46 anos de idade.

Jon Krakauer
Abril de 2015

AGRADECIMENTOS

Teria sido impossível escrever este livro sem o auxílio considerável da família McCandless. Sou profundamente grato a Walt McCandless, Billie McCandless, Carine McCandless, Sam McCandless e Shelly McCandless Garcia. Eles deram-me pleno acesso aos papéis, cartas e fotografias de Chris e conversaram extensamente comigo. Nenhum membro da família tentou exercer controle sobre o conteúdo ou orientação do livro, apesar de saber que seria extremamente doloroso ver impresso algum material. A pedido da família, 20% dos royalties gerados pelas vendas do livro serão doados para uma bolsa de estudos em nome de Chris McCandless.

Agradeço a Doug Stumpf, que adquiriu o manuscrito para a Villard Books/Random House, e a David Rosenthal e Ruth Fecych, que editaram o livro com habilidade e carinho depois da partida prematura de Doug. Obrigado também a Annik LaFarge, Adam Rothberg, Dan Rembert, Dennis Ambrose, Laura Taylor, Diana Frost, Deborah Foley e Abigail Winograd, da Villard/Random House, por sua ajuda.

Este livro começou como um artigo para a revista *Outside*. Gostaria de agradecer a Mark Bryant e Laura Hohnhold por terem me designado para escrever a matéria e por tê-la editado com tanta competência. Adam Horowitz, Greg Cliburn, Kiki Yablon, Larry Burke, Lisa Chase, Dan Ferrara, Sue Smith, Will Dana, Alex Heard, Donovan Webster, Kathy Martin, Brad Wetzler e Jaqueline Lee também trabalharam no artigo.

Devo gratidão especial a Linda Mariam Moore, Roman Dial, David Roberts, Sharon Roberts, Matt Hale e Ed Ward por conselhos e críticas valiosos; a Margaret Davidson, por criar os esplêndidos mapas; e a John Ware, meu agente inigualável.

Contribuições importantes foram dadas também por Dennis Burnett, Chris Fish, Eric Hathaway, Gordy Cucullu, Andy Horowitz, Kris Maxie

Gillmer, Wayne Westerberg, Mary Westerberg, Gail Borah, Rod Wolf, Jan Burres, Ronald Franz, Gaylord Stuckey, Jim Gallien, Ken Thompson, Gordon Samel, Ferdie Swanson, Butch Killian, Paul Atkinson, Steve Carwille, Ken Kehrer, Bob Burroughs, Berle Mercer, Will Forsberg, Nick Jans, Mark Stoppel, Dan Solie, Andrew Liske, Peggy Dial, James Brady, Cliff Hudson, o falecido Mugs Stump, Kate Bull, Roger Ellis, Ken Sleight, Bud Walsh, Lori Zarza, George Dreeszen, Sharon Dreeszen, Eddie Dickson, Priscilla Russell, Arthur Kruckeberg, Paul Reichart, Doug Ewing, Sarah Gage, Mike Ralphs, Richard Keeler, Nancy J. Turner, Glen Wagner, Tom Clausen, John Bryant, Edward Treadwell, Lew Krakauer, Carol Krakauer, Karin Krakauer, Wendy Krakauer, Sarah Krakauer, Andrew Krakauer, Ruth Selig e Peggy Langrall.

Beneficiei-me do trabalho publicado dos jornalistas Johnny Dodd, Kris Capps, Steve Young, W. L. Rusho, Chip Brown, Glenn Randall, Jonathan Waterman, Debra McKinney, T. A. Badger e Adam Biegel.

Por proporcionarem inspiração, hospitalidade, amizade e sábios conselhos, sou agradecido a Kai Sandburn, Randy Babich, Jim Freeman, Steve Rottler, Fred Beckey, Maynard Miller, Jim Doherty, David Quammen, Tim Cahill, Rosalie Stewart, Shannon Costello, Alison Jo Stewart, Maureen Costello, Ariel Kohn, Kelsi Krakauer, Miriam Kohn, Deborah Shaw, Nick Miller, Greg Child, Dan Cauthorn, Kitty Calhoun Grissom, Colin Grissom, Dave Jones, Fran Kaul, David Trione, Dielle Havlis, Pat Joseph, Lee Joseph, Pierret Vogt, Paul Vogt, Ralph Moore, Mary Moore e Woodrow O. Moore.

1ª EDIÇÃO [1998] 24 reimpressões
2ª EDIÇÃO [2018] 8 reimpressões

ESTA OBRA FOI COMPOSTA PELA HELVÉTICA EDITORIAL
EM TIMES E IMPRESSA PELA GRÁFICA SANTA MARTA EM OFSETE
SOBRE PAPEL PÓLEN DA SUZANO S.A. PARA A
EDITORA SCHWARCZ EM MAIO DE 2025

A marca FSC® é a garantia de que a madeira utilizada na fabricação do papel deste livro provém de florestas que foram gerenciadas de maneira ambientalmente correta, socialmente justa e economicamente viável, além de outras fontes de origem controlada.